LECCIONES DE VIDA PARA

LOGRAR EL

ÉXITO

Linda Gannaway

Lecciones de vida para lograr el éxito

Cómo crear la vida que quieres

Linda Gannaway

ISBN: 978-1-64142-106-5

Publicado por
Editorial RENUEVO LLC.
www.EditorialRenuevo.com
info@EditorialRenuevo.com

Impreso en los Estados Unidos de Norteamérica

El propósito de este libro es ayudar al lector a aprender sus lecciones de vida y crear la vida que desea. Está basado en la educación, experiencias y perspectiva de la autora—lecciones que ella ha aprendido a través de su vida. Sus historias personales y las historias acerca de otras personas que ella utiliza para describir situaciones por las que atravesó, son verdaderas. Sin embargo, para proteger su anonimato, la autora ha cambiado las circunstancias o identidades reales; cualquier semejanza a las identidades reales no es intencional.

Este libro ha sido escrito como una guía y recurso general; no tiene el propósito de abordar la situación individual de cada lector. No debe ser interpretado como cualquier tipo de consejo, servicio o terapia médica, de salud, de nutrición, psicológico, financiero, legal o de ninguna otra índole profesional. El lector deberá consultar a un profesional competente en el área apropiada para el consejo o tratamiento individual necesarios.

Los resultados obtenidos al leer y llevar a cabo las actividades en el libro pueden diferir. Se cree que toda la información y referencias son exactas en el momento de su publicación. Puede haber errores tipográficos y de otro tipo en el texto. La autora y el editor no están sujetos ni son responsables de ninguna pérdida o daño causado o que presuntamente haya sido causado, directa o indirectamente, por la información o actividades contenidas o a las que se haga referencia en este libro, así como la aplicación que el lector haga de ellas.

Para mis padres, Sarah y Jim Gannaway.

Mi agradecimiento más profundo por su fe, valores y amor incondicional.

La educación no es llenar un cubo, sino encender un fuego.

—*William Butler Yeats*

Lecciones de vida para lograr el éxito

Contenido

Lecciones de vida para lograr el éxito

Capítulo 1

Las cosas pasan por una razón

La historia detrás de la historia y lo que contiene este libro

Acababa de terminar un trote relajante con mi perro, y estábamos descansando sobre el pasto fresco de un parque local mientras observaba los árboles que nos rodeaban. Un pensamiento, que llegó de la nada, explotó en mi cabeza y grabó tres palabras en mi cerebro: *estudiante de vida*. No estoy segura cómo, pero supe que las palabras se referían a un libro— uno que se suponía que debía escribir. Nunca había planeado convertirme en autora, pero sentí que era imposible ignorar una experiencia tan dramática.

Tenía un descanso en mi trabajo, por lo tanto, utilicé el siguiente verano para escribir el primer borrador. Los pensamientos fluían en mí y las palabras aparecían en mi computadora como si hubiera estado tomando dictado. No quería comer o dormir; solo deseaba escribir. Después de dos meses de escribir sin parar, completé un manuscrito de 300 páginas. Luego regresé al trabajo y mi vida volvió a la rutina normal.

Después de varios años de pruebas personales, llegué a estar convencida de que el material que había escrito era sólido: ya no me quedaba estancada en mis lugares usuales, y navegaba situaciones difíciles con menor estrés. No podía esperar compartirlo con otros. Por lo tanto, introduje partes del libro en mis sesiones de consejería con estudiantes de universidad y sin excepción, a ellos les resultó útil. Después de eso, desarrollé 30 horas de instrucción de curso y enseñé clases de posgrado sobre el libro, nuevamente con resultados positivos. Uno de mis estudiantes que estaba trabajando en una prisión estatal usó el material de mi clase para ayudar a los prisioneros en su transición de regreso a sus comunidades. Me emocioné cuando me lo contó; lo vi como una señal de que necesitaba editar el libro y hacerlo publicar.

Amigo, creo que las cosas pasan por una razón. No es por casualidad que tuve la experiencia en el parque o que he escrito este libro. Cuando hablo acerca de este material con diferentes grupos, siempre sé que no es coincidencia quién aparece— aunque la razón pueda no ser clara para ellos hasta después. Lo mismo aplica para ti: no es por accidente que elegiste este libro. Hay una razón por la que lo estás leyendo—y por qué lo estás leyendo en esta etapa de tu vida.

Así nos empoderan las lecciones de vida

A medida que he estudiado las lecciones de vida por los pasados 30 años, he quedado asombrada en cómo pueden mejorar vidas, sin importar situaciones actuales y puntos de inicio. Por lo tanto, si estás luchando solo para sobrevivir, o estás teniendo algunos problemas persistentes, las lecciones de vida pueden ayudar. Si te va bien pero quieres que te vaya mejor, o si ya eres exitoso, pueden enseñarte cómo mejorar. Puedes usar tus lecciones de vida para alcanzar nuevos niveles y encontrar más éxito. Te proporcionan la sabiduría práctica que necesitas para alcanzar tus metas de forma más rápida y fácil.

Los psicólogos del desarrollo han estudiado los cambios que los seres humanos encuentran durante su ciclo de vida, incluyendo varias etapas de cambios sociales, emocionales y cognitivos. Todas las etapas—niñez, adolescencia, juventud y madurez— traen diferentes lecciones para aprender. La capacidad de las personas para dominar estas lecciones determina el curso de su desarrollo futuro. (Probablemente conoces gente que actúa de forma mucho más juvenil que su edad cronológica. Esto suele pasar porque no pudieron aprender las lecciones de un periodo anterior en la vida). Estos psicólogos también han identificado dos tipos de lecciones que todos debemos aprender: las **comunes** y las **únicas**. Las lecciones comunes tienen que ver con cómo ser independientes, cómo amar y ser amados y cómo encontrar significado en la vida. Estas lecciones aplican a todos y deben ser dominadas. Las lecciones únicas son más individualizadas. Debido a que cada persona es única, cada una camina una senda distinta en la vida. Cada persona tiene lecciones personales que debe dominar durante su jornada terrenal. Por lo tanto, tienes tus propias lecciones que aprender—lecciones en relaciones, trabajo, finanzas y salud—y un período de tiempo ideal para aprenderlas.

A lo largo de este libro, comparto mis historias y las lecciones que he aprendido de ellas. También incluyo lo que he aprendido de mis estudiantes y otros maestros en mi vida. Sin embargo, no te diré qué lecciones deberías aprender, porque no sé lo que necesitas aprender. Deberás descifrarlas tú mismo. Yo te alentaré a identificar tus propias lecciones y te daré las herramientas que puedes usar para aplicar lo que estás leyendo a tu vida. Te guiaré a través de un proceso de paso a paso para aprender las lecciones que serán significativas y relevantes para ti—incluso en esas áreas problemáticas en las que quizá hayas estado estancado por años.

Crear la vida que quieres

Es normal querer encontrar sentido a tu mundo, querer saber cómo todo encaja. En este libro, encontrarás información que te ayudará a ver el panorama entero de tu vida. También descubrirás a los maestros en tu vida: maestros **externos**, los cuales incluyen gente, problemas, coincidencias y

13

animales; y maestros **internos**, los cuales incluyen tu cuerpo, pensamientos, comportamientos, emociones, adicciones y sueños. Los problemas generalmente aparecen como desafíos externos no deseados, pero en realidad son maestros valiosos. Lo mismo aplica a las adicciones. Pueden causar graves reveses hasta que te das cuenta de que son maestros internos tratando desesperadamente de ayudarte a aprender lo que tienen que ofrecer. En el capítulo 5, comparto las lecciones que aprendí al admitir que era una adicta al trabajo. Comparto como abordé las causas subyacentes y luego cómo establecí límites y balance con respecto a mi trabajo.

Otro maestro interno es la intuición—esa corazonada con la que simplemente *estás seguro de algo*. Y déjame decirte: eres intuitivo aun cuando creas que no lo eres. En el capítulo 6, presento una guía simple para que entres en contacto con tu intuición y aprendas a confiar en la sabiduría que ofrece.

Cuando mejoras en el área de identificar a tus maestros y lecciones de vida, aceleras tu crecimiento y éxito. También aprendes cómo responder a las adversidades, las cuales contienen lecciones que te hacen más sabio, más fuerte, y más capaz de manejar desafíos aún mayores.

Hablaré acerca de formas de crear un estilo de vida que incremente tu curva de aprendizaje, tal como mejorar tu sueño, dieta y ejercicio, y taponear tus fugas de energía causadas por proyectos no terminados, desorden físico y creencias limitantes. Descubrirás cómo las experiencias de la infancia te impactan hoy, y aprenderás cómo cambiar creencias profundamente arraigadas que puedan estar haciéndote repetir patrones dañinos.

Una vida bien vivida incluye lo que viniste a hacer. Por lo tanto, en algún momento, necesitas identificar tu propósito en la vida. Deberás aprender las lecciones comunes y únicas que te permiten cumplir con ese propósito, lograr tus sueños, y desarrollar tus talentos para que puedas compartirlos con el mundo.

Muchas personas siguen naturalmente la ruta de cumplir con su propósito, a veces sin saberlo. Otros necesitan enfocarse más para descubrir cuál es. Todos necesitan habilidades prácticas que les permitan convertir su propósito y sueños en metas realistas que puedan lograr sin mayor estrés. El capítulo 10 proporciona estrategias probadas para establecer y lograr esas metas. La gente frecuentemente me dice que el *tiempo* es su mayor obstáculo para lograr sus metas. Dicen: «No tengo tiempo para hacer todas las cosas que necesito hacer, mucho menos para las cosas que quiero hacer». Este libro incluye varias secciones que tratan con cómo mejorar tus habilidades de manejo del tiempo. Como alguien que padecía de la costumbre de dejar las cosas para último momento, pero ahora en recuperación, compartiré perspectivas de primera mano sobre los retrasos innecesarios. Accederás a una tremenda fuente de poder cuando controles la forma de usar tu tiempo.

El estrés es otro obstáculo mayor para lograr metas. Aunque es inevitable, es (mayormente) posible mantenerlo a niveles saludables. Todos tienen una zona de estrés óptima: el lugar donde el estrés se convierte en energía positiva y les ayuda a lograr sus metas; es el lugar donde el estrés los impulsa en lugar de frenarlos. Te enseñaré cómo encontrar esa zona.

No es una coincidencia el que estés aquí en la Tierra, y no es una casualidad que estés aquí en este momento. Estás aquí por una razón. Tienes un don único que dar, un talento que compartir y una forma de mejorar las cosas. Por lo tanto, al honrar tu propia singularidad, al presentarte cada día como tu ser auténtico y al hacer lo mejor que puedas, no solo mejoras tu vida, sino que también contribuyes a las vidas de otros. Tienes una luz para brillar y puedes hacer una diferencia.

Cómo usar este libro

He escrito este libro con el mismo formato que usé al enseñar mis clases en la universidad, por lo tanto, te sugiero que lo leas de arriba abajo. Sin embargo, si estás luchando con una cuestión en particular (por ejemplo, la postergación), comienza con ese capítulo. O si tienes un interés en cierto tópico en el libro, examina ese primero. Podría ser tu intuición empujándote hacia una dirección específica. Si sientes más energía cuando lees una sección, pon atención a esa energía y la sección que la despertó.

A lo largo del libro, introduzco una idea y doy un ejemplo (generalmente, uno personal); y luego, presento actividades para ayudarte a pensar en ejemplos de tu vida que estén relacionados a esa idea. Por ejemplo, en el capítulo 4, describo cómo mi madre, una maestra importante en mi vida, me enseñó una lección valiosa cuando dijo: «Cada uno de nosotros somos responsables de nuestra propia felicidad». Te pido que identifiques a alguien que ha sido influyente en tu vida; luego te pido que busques una lección que esa persona te ayudó a aprender. Las actividades están diseñadas para ayudarte a aprender las lecciones importantes en tu vida. Puesto que no sé cuáles son esas lecciones, te animo a que te tomes el tiempo de completar las actividades. Ellas te presentan métodos probados por el tiempo para ayudarte a descubrir y a dominar tus propias lecciones. Esto incrementará tu curva de aprendizaje. Te sugiero que encuentres un lugar donde puedas guardar todas tus respuestas escritas, ya sea una libreta o en algún tipo de almacenamiento digital. (No hay espacio suficiente para escribir en este libro). Además de esto, quizá puedas hacer las actividades con un amigo y luego comparar respuestas; o quizá puedas compartir lo que aprendes con un familiar. El punto es involucrarse con el material porque hará toda la diferencia en cuánto obtengas de él.

Para evitar remordimientos

Una cosa que enfatizo a través del libro es cómo tomar decisiones ahora para evitar terminar con mayor lamentación más adelante. Cuando unos investigadores les preguntaron a personas que estaban a punto de morir acerca de sus más grandes remordimientos, cosas como conducir un auto lujoso, el paracaidismo o viajar por el mundo no estaban en su lista. Sus mayores arrepentimientos tenían que ver con lo que *no* habían hecho[1]—una razón aún mayor para que manejes tu tiempo, logres tus metas, crees la vida que quieres y hagas lo que viniste a hacer. En otro estudio, algunas personas dijeron que su mayor arrepentimiento fue que no habían sido más auténticos con ellos mismos; otros lamentaban no haber desarrollado mejores relaciones con ellos mismos y otros.[2] Las lecciones de la vida pueden guiarte a través de tus experiencias para que no tengas mayores arrepentimientos cuando llegues al final de tu vida.

Puesto que estás aquí solo por un poco tiempo, ellas pueden ayudarte a aprovechar tu tiempo al máximo.

¿Estás listo para comenzar?

Lecciones de vida para lograr el éxito

Capítulo 2

Aventuras en la escuela de la vida

Entender nuestra jornada a través de la vida desde una vista panorámica

Usted será despedida en julio—leí y releí la carta de mi empleador. Me seguía preguntando: «¿Cómo pudo pasar esto?». Llevaba diez años trabajando en el centro de consejería de la universidad, dando lo mejor de mí, ayudando a los estudiantes y obteniendo mis promociones merecidamente. Pero nada de eso importaba en una crisis presupuestaria. Por lo tanto, junto a otros seis consejeros, perdí mi trabajo.

Habían estado circulando rumores de despidos por al menos un año—no fue como si no se me hubiera advertido. No obstante, siempre había esperado que, de alguna manera, no terminara en la lista de despidos. Esta vez, así sucedió.

Al recordar esa experiencia, parte de mí ya entendió que era el momento de cambiar a algo diferente. Mi intuición—que siempre tiene razón—me había estado diciendo por meses que no yo debía estar allí. Amaba mi trabajo; disfrutaba de los estudiantes con los que trabajaba, y el personal era como una familia para mí. Pero me sentía agotada. La consejería es desgastante, sin importar cuánto te guste. Dos veces ese año, me había levantado, vestido para el trabajo y conducido a unas cuantas cuadras de la universidad, solo para regresar a casa para llamar y avisar que estaba enferma—estando incapaz de enfrentar ese día en el trabajo. Yo daba clases de manejo de estrés, por lo tanto, sabía que esos dos días de salud mental eran una señal seria de agotamiento.

Los despidos de empleados en una universidad estatal son raros—y, por lo tanto, generan interés periodístico. No mucho después de que fueron anunciados los recortes, aquellos de nosotros que fuimos afectados nos reunimos en la oficina del desempleo. Un equipo de video de una estación de televisión local se había instalado en la acera de una calle concurrida. ¡Yo quedé mortificada! Asumí que la mayoría de las personas que me vieron por televisión pensarían que me habían despedido porque había sido una mala empleada. La situación ya parecía lo suficientemente difícil, pero la cobertura de las noticias y mi suposición la hizo peor.

¿Recuerdas cuando dije anteriormente que las cosas pasan por una razón? Por mi naturaleza, puedo ser leal hasta la exageración, por lo tanto, nunca hubiera dejado un trabajo que me gustaba tanto. El Universo (o la Energía Divina, Espíritu, Dios, Creador, Vida o como quieras llamarlo) se encargó de las cosas y me forzó a irme. Después de recibir una prestación por desempleo y buscar un trabajo con ansiedad, fui recontratada por la misma universidad para trabajar en el departamento atlético. La nueva posición presentaba una serie diferente de retos—exactamente lo que yo necesitaba en ese preciso momento.

Amigo, ¿qué pasa cuando la vida te toma por sorpresa o cuando te presenta un problema enorme que es imposible de ignorar? (En mi caso, había estado en el mismo empleo por demasiado tiempo, y era hora de cambiar). Cuando observas tu vida, ¿puedes ver puntos donde pareces estar estancado? Quizá has llegado a un estancamiento en tu carrera y no sabes cómo llevarla al siguiente nivel. Quizá tengas una vida aburrida y deseas más emoción y satisfacción. Puede que tengas una pasión secreta—una que te encantaría convertir en un negocio o compartir con el mundo—pero permanece atrapada dentro de tu corazón y mente. Quizá estés preocupado por la economía, la política o el medio ambiente. Deseas hacer una diferencia, pero no estás seguro dónde comenzar o cómo hacerlo. Ya estás luchando para estar al corriente con las responsabilidades del día a día que has asumido, por lo tanto, ¿cómo podrías hacerte cargo de más? Y, aun así, una parte de ti quiere (necesita) hacer más. Algo está faltando en tu vida: una causa activa y apasionada, una forma de ofrecer tus dones únicos, una forma de vivir sin remordimientos.

Durante tu tiempo en la Tierra, tienes sueños que lograr, un propósito que cumplir y una oportunidad de toda la vida para desarrollar tus talentos y potencial. Aprender tus lecciones de vida te permitirá progresar y, con el tiempo, lograr lo que tengas que hacer.

En los 25 años que trabajé en varias universidades, escuché a estudiantes y miembros del profesorado y personal compartir sus preocupaciones acerca de ser infelices a pesar de su éxito exterior. Algunos hablaban acerca de tratar de alcanzar sus metas, pero solo encontrándose con obstáculos en el camino. Otros hablaban acerca de luchar con los mismos problemas por años. Mucha gente experimenta los mismos problemas que ellos han enfrentado, por lo tanto, puede sonar familiar.

¿Estás…

- estresado tratando de cumplir con todo lo que necesitas hacer?
- frustrado por tan demasiado poco tiempo para hacer las cosas que quieres hacer?
- atrapado en un trabajo, incluso después de intentar varias estrategias para mejorar la situación?
- infeliz en una relación, pero no estás seguro de cómo mejorar las cosas?

- sufriendo por no poder bajar de peso a pesar de tus mejores esfuerzos y múltiples intentos?
- frustrado con tu incapacidad de comenzar un programa de ejercicios y apegarte a él?

Si estás sufriendo con estas cuestiones, no estás solo. En mi experiencia, significa que hay una lección que deberás aprender antes de que puedas llegar a liberarte y volver a salir adelante. Todos los problemas, los anhelos no cumplidos y los talentos no expresados son maestros disfrazados; contienen lecciones de cómo resolverlos. Por lo tanto, si te enfocas en seguir las instrucciones que ellas te proporcionan, verás cómo el Universo usa esos problemas y deseos del corazón para obtener tu atención, enseñarte lecciones y ayudarte a avanzar.

Parte de tu naturaleza inherente es expandirte y crecer, para llegar a ser más con el potencial que tienes. La vida hará todo lo posible para apoyarte en este proceso en constante evolución. Este apoyo incluye el lanzar desafíos en tu camino para evitar que te conviertas en conformista. Y el proceso continúa sin importar la edad: los niños tienen ciertas lecciones que deben aprender para llegar a ser independientes; los adultos deben dominar muchas lecciones a través de sus vidas. El aprendizaje nunca termina.

Mis aventuras en la escuela

Recuerdo una de las primeras veces en las que apliqué estas técnicas en mi vida. Estaba trabajando como consejera académica en un programa atlético de la universidad. Nuestro personal se estaba alistando para trabajar con más de 500 estudiantes atletas cuando un compañero de trabajo renunció. La tarea se sentía abrumadora. Me di cuenta—aunque me gustara o no—de que acababa de inscribirme en una clase (una clase metafórica, pero basada en las circunstancias de la vida real) en el manejo del estrés. Mi reacción normal podría haber sido resentir esta gran imposición. En su lugar, lo tomé como un desafío personal para lograr la mejor nota posible. Sabía que la única forma de hacer eso era poner cada pequeña partícula de entusiasmo que pudiera reunir y usar todas las técnicas de manejo de estrés en las que pudiera pensar para dar a los estudiantes atletas una experiencia divertida y de calidad. Cuando hice el cambio mental, todo el escenario cambió. Sentí una ráfaga de energía y ansiedad de lograr absolutamente lo mejor de mí para pasar esa «clase» con el mayor grado posible. Cuando el suplicio maratónico terminó, yo todavía tenía energía. No me sentía agotada como lo hubiera estado si lo hubiera abordado de la manera en que lo hacía regularmente. Me sentí más fuerte y confiada acerca de mi habilidad de sobrevivir el siguiente momento difícil que llegara y supe que logré la calificación más alta porque había dado todo lo mejor de mí.

Creo que el Universo usa retos para enseñarte lecciones valiosas. Tu trabajo es dominar las lecciones contenidas en esas experiencias lo suficientemente bien para pasar las pruebas que la vida te presenta. Una vez que esto pasa, la situación desafiante desaparece. Sales adelante, con más conocimiento y con más coraje. Abrazar todo lo que enfrentas con entusiasmo y determinación puede darte la pasión que hace la vida divertida, con propósito e inherentemente rica. Te hace dar lo mejor de ti y ser la mejor versión de ti mismo.

El que me despidieran me enseñó una importante lección de vida: cómo pasar de ser una víctima a ser una estudiante. Me sentí victimizada cuando perdí mi trabajo; sentí una intensa traición, furia, tristeza y miedo. Me di tiempo para expresar esos sentimientos porque no quería que se convirtieran en una carga emocional que llevaría a todos lados. Pero luego, el instinto se activó y mi voz interior me dijo: *No puedes quedarte sentada aquí. Descifra lo que necesitas aprender. Libérate de tu posición de víctima y sigue adelante con tu vida.*

Yo soy una estudiante desde el fondo de mi corazón; aprender siempre ha sido divertido para mí. No creo que sea una coincidencia el que haya obtenido mi doctorado en educación, o de que haya trabajado en varias universidades, o de que haya escrito un libro sobre cómo aprender las lecciones de la vida. (A propósito, no fue hasta que comencé a escribir este libro que sentí que finalmente estaba haciendo lo que vine a hacer. Ahora, me doy cuenta de que es parte de mi misión y propósito en la vida). Creo firmemente que todo lo que he hecho en mi vida es exactamente lo que se suponía que debí hacer en ese momento.

Por un par de años, incluso trabajé como examinadora educativa en el estado de Arkansas. Los maestros de las escuelas públicas me enviaban estudiantes que estaban sufriendo en sus salones de clase. Yo administraba pruebas de inteligencia y rendimiento, y mi colega administraba evaluaciones auditivas y de lenguaje. Juntos analizábamos las dificultades de aprendizaje de los estudiantes, escribíamos reportes completos de sus puntos fuertes y débiles y proporcionábamos estrategias a sus maestros y padres de cómo podrían mejorar. La experiencia resultó ser invaluable. Me dio un entendimiento útil y profundo de cómo aprende la gente y de cómo se estancan en el proceso de aprendizaje. Yo pasaba todos los días diseccionando las incapacidades de aprendizaje y desarrollé un lugar especial en mi corazón para cualquier persona con esos desafíos. Esta experiencia fortaleció mi convicción de que cualquiera puede mejorar su capacidad de aprendizaje. Amigo, tú puedes mejorar al identificar y usar la información que sea relevante a lo que sea con lo que estés lidiando. Tienes el potencial de llegar a ser un mejor estudiante de la vida.

Cómo logras progresar

Imagina por un momento que eres un águila volando alto sobre la topografía de la vida.[3] Imagina que puedes ver hacia abajo y ver el ciclo de nacimiento y muerte. Ves cómo nace la gente y cómo crece; los ves llegar a ser viejos y eventualmente morir. Ahora, mira más de cerca. ¿Puedes ver cómo algunas personas aprenden sus lecciones de vida más fácil y rápidamente? ¿Estás notando que algunos están luchando? ¿Puedes ver que otros están muriendo sin aprender sus lecciones o haciendo lo que les correspondía hacer? Ahora, imagina que puedes mirar tu propia vida de la misma manera. Imagina que puedes observar tus patrones, tendencias y rutinas. ¿Puedes ver lo que está funcionando y lo que no? Sé objetivo. El observar la vida bajo esta perspectiva puede ayudarte a ver cómo avanzar. Puede también prevenir que te resbales del camino.

Cuando yo veo mi vida desde esta distancia estratégica, y cuando reflexiono sobre las vidas de las personas con las que he trabajado a través de los años, veo que la vida es una escuela para aprender lecciones: una vez que una persona aprende sus lecciones, avanza hacia la siguiente clase—donde hay más lecciones que aprender. Si no domina sus lecciones lo suficientemente bien para pasar las pruebas que la vida presenta, tiene que repetir la clase hasta que la aprenda. Y si la persona es verdaderamente lenta, recibe una llamada de atención. Esta simple metáfora explica el progreso que alguien hace a través de la vida, y proporciona un mapa del camino para dirigirla hacia la dirección correcta cuando está siendo marginada por los obstáculos, tropiezos e intentos sin éxito.

Algunas veces, cuando me estanco, siento como que estoy repitiendo el tercer grado por quinta vez. Por lo tanto, doy un paso atrás, contemplo mi situación como una observadora independiente, y uso el concepto de que mi vida en realidad es una escuela. Amigo, tú estás inscrito en varias clases metafóricas (como la clase de manejo del estrés en la que yo me encontraba anteriormente). Una vez que aprendes las lecciones lo suficientemente bien para pasar los exámenes que la vida interpone en tu camino, te gradúas y avanzas hacia el próximo salón de clase, donde te esperan más lecciones.

Sin embargo, ¿qué pasa si no aprendes tus lecciones y no pasas los exámenes? Entonces, te quedas y repites la clase hasta que los apruebas. A veces sufres con el mismo material y lidias con el mismo problema o situación una y otra vez. Como Bill Murray en la película clásica *Groundhog Day*, quedas estancado en un túnel del tiempo y vives todos los días como si fuesen el mismo día. Y quedarás estancado—hasta que domines la lección lo suficientemente bien para pasar los exámenes que la vida te presenta. Y si te toma demasiado tiempo para aprender la lección, el Universo te dará una llamada de atención, o un mensaje más urgente, para que pongas atención, domines el material, pases los exámenes y avances.

Digamos que te inscribes involuntariamente en clases obligatorias de salud personal. Necesitas aprender ciertas lecciones para mantenerte lo suficientemente saludable para funcionar. Si no lo haces, tu cuerpo no te apoyará. Rara vez me enfermo, pero cuando lo hago, es generalmente porque he estado siendo imprudente con mi salud (atiborrando demasiado mi horario, sintiéndome agotada o no durmiendo lo suficiente). Cuando me resfrío o me engripo, imagino que mi cuerpo está diciendo: «Si no te detienes y me cuidas, tendré que detenerte del todo para asegurarme de que escuchas el mensaje». Eso sí que es una llamada de atención.

Por lo tanto, después de repetir la clase del sueño muchas veces, finalmente aprendí la lección: no puedo privarme demasiado del sueño o me enfermaré. Suena tan simple, pero tardé años para finalmente entenderlo. Todavía me enfermo ocasionalmente, pero no porque corto mis horas de sueño a propósito. He convertido el dormir en una prioridad.

Aunque la clase sobre dormir no es la única clase incluida en las lecciones de salud personal, es una de las más fundamentales. Cuando trabajé en los centros de consejería de la universidad, los estudiantes que no habían dormido por varias noches seguidas frecuentemente venían en busca de consejo, muchos porque acaban de separarse de su novio o novia. Estos estudiantes privados del sueño se veían como si tuvieran serios problemas de salud mental. Sin embargo, después de un par de noches de buen sueño, aunque todavía estuvieran estresados o tristes, no mostraban ningún signo de enfermedad mental. ¿Por qué? No estaban mentalmente enfermos; solo necesitaban dormir.

La pérdida del sueño a corto plazo puede tener mayores consecuencias: memoria deteriorada, un mal juicio, pérdida de concentración y dificultad para tomar decisiones.[4] Y la privación de sueño a largo plazo causa estragos en el organismo. Los estudios recientes muestran que la falta crónica del sueño puede llevar a la obesidad, diabetes, presión arterial alta, y enfermedad del corazón.[5] Si aún no te has graduado de la clase del sueño, ahora puede ser el momento para inscribirte y aspirar a obtener la mejor calificación posible. Cada persona tiene diferentes requerimientos de sueño, por lo tanto, saber cuánto necesitas—y luego hacerlo— es un requisito previo para poder ser la mejor versión de ti mismo y rendir al máximo. La calidad y cantidad de sueño que recibes afecta todo lo que haces.

¿Por qué me llevó tanto tiempo aprender la lección de dormir? Yo no quería creer que necesitaba siete horas cada noche; yo me negaba a aceptar lo que mi cuerpo necesitaba. El ver esa racha de necedad en mí me abrió los ojos. Ahora, estoy al pendiente de esa testarudez cuando me estanco en otras clases.

Amigo, usar la metáfora de la vida como escuela tiene varias ventajas:

- Te ayuda a poner algo de distancia entre ti y tus problemas.
- Te ayuda a identificar formas en las que has sido exitoso para que puedas partir de esas experiencias cuando des un paso en un territorio desconocido.
- Te da un plan de acción, una esperanza a la cual aferrarte en aquellas circunstancias extremas cuando tu senda se hace oscura, cuando tu cuerpo se cansa, cuando tu mente se confunde y la luz de tu espíritu se está apagando.
- Implica que cada una de tus clases es temporal. Si te sientes estancado en una clase y no puedes salir, puedes adherirte a la creencia de que «esto también pasará». La única constante en la vida es el cambio. Reconocer la naturaleza efímera de las circunstancias difíciles de la vida te hacer recordar que debes trabajar como loco y hacer lo que sea para pasar las pruebas que te permitirán avanzar.
- Te motiva.
- Te hace consciente de la naturaleza temporal de las bendiciones en tu vida (te das cuenta de que podrían desaparecer en un instante); por lo tanto, aprendes a disfrutar y apreciar las buenas cosas mientras ellas (y tú) estén aquí.

---

1. Actividades

Piensa acerca de tu vida. Piensa en dónde estás

aprendiendo nuevas lecciones (por ejemplo, en tus relaciones, trabajo, finanzas, deportes, pasatiempos o salud personal). Luego, responde a estas preguntas:

1. *¿En qué clases estoy inscrito? Enumera por lo menos tres.*
2. *¿En qué clases me está yendo bien?*
3. *¿En qué clases estoy teniendo problemas?*

Las reglas de la escuela

Como la mayoría de las escuelas, la escuela de la vida tiene ciertas reglas que aplican. Y aunque quizá no te agraden las reglas, saber cuáles son es útil porque te dará una mejor oportunidad de pasar tus clases con menor esfuerzo y estrés. He incluido 12 reglas, algunas de las cuales son similares a las escritas por la Dra. Chérie Carter-Scott.[6] A medida que leas la lista, haz una nota mental de lo que destaque para ti.

1. En la escuela de la vida, hay bastantes oportunidades de aprender. Las clases se llevan a cabo todos los días.

¿Alguna vez te has detenido a pensar acerca de cuántas cosas estás aprendiendo? Cada clase metafórica en la que estás inscrito (por ejemplo, deportes, pasatiempos, habilidades de tecnología, autodesarrollo, finanzas, religión o espiritualidad, cocina, reparaciones del hogar, habilidades profesionales y relaciones con miembros de la familia, compañeros de trabajo y amigos) generalmente incluye varias lecciones. El proceso de aprendizaje es tan constante y se siente tan normal que frecuentemente no te das cuenta qué tan automáticamente pasa todos los días. He oído decir que la vida en la tierra es especialmente propicia para aprender porque las consecuencias de las acciones vienen rápidamente. Estás en un gran lugar para aprender lecciones. Debido a que cada momento te da oportunidades de aprender, tiene sentido enfocarte en ser mejor en ello.

2. En la escuela de la vida, no hay coincidencias. Todo lo que pasa en tu vida tiene sentido y propósito—aunque algunos eventos sean más significativos que otros.

Todo lo que te pasa está orquestado para apoyar tu aprendizaje. Creer esto te permitirá renunciar a tus juicios acerca de lo que es *malo* en tu vida para simplemente abrazar lo que *es*. Si puedes cambiar tu pensamiento acerca de los eventos en tu vida—verlos como mensajes e instrucciones sobre cómo aprender tus lecciones—ya no ignorarás, resistirás o resentirás la realidad. Dejarás de pelear con la vida, y dejarás de sentir como si fuera tu oponente. Por lo tanto, cuando algo no sea como tú lo quieres, no te enojes. En su lugar, velo como una oportunidad de aprender algo importante. No pienses de los malos eventos como si el mundo estuviera conspirando contra ti; imagínalos como si el mundo estuviera conspirando para ayudarte. Puede sonar radical, pero este tipo de actitud y proceso de pensamiento optimista puede estimular tu progreso en la escuela. Nada ocurre por accidente o casualidad. El interpretar tu vida de esta manera puede prevenir sufrimiento innecesario y abrirte un mundo de posibilidades.

3. En la escuela de la vida, habrá pruebas para ver si puedes aplicar lo que aprendes en tu vida cotidiana.

Con cada experiencia, el Universo te da información para ayudarte a aprender tus lecciones. La vida, entonces, te probará para confirmar que aprendiste esas lecciones. Y en la escuela de la vida, esas lecciones nunca se aprenden hasta que pasas los exámenes y pruebas que puedes aplicarlas a tu vida de forma correcta y consistente.

Yo quería mejorar mi estado físico, por lo tanto, me puse una meta de ir al gimnasio dos veces a la semana y hacer tres horas de ejercicio semanal. Básicamente, me inscribí en una clase metafórica de ejercicio. Me tomó mucho tiempo, pero eventualmente, pasé los exámenes en ejercicio regular. Hoy, es automático; voy al gimnasio, pase lo que pase.

4. En la escuela de la vida, siempre hay más lecciones que aprender.

Deberás pasar tus exámenes en la escuela de la vida antes de que puedas graduarte para la siguiente clase. Tu aprendizaje continúa a través de toda tu vida y la lista de posibles clases es infinita.

Mis padres vivían en una casa de retiro, y yo los visitaba frecuentemente. Como resultado, pude conocer a muchos de los residentes, que ya estaban en sus noventa y tantos. Durante nuestras muchas pláticas, me maravillé en cuánto estaban aprendiendo todavía acerca de la vida. El aprendizaje nunca termina.

5. En la escuela de la vida, si no aprendes tus lecciones lo suficiente para pasar los exámenes, deberás repetir la clase hasta que la aprendas bien.

¿Has sentido alguna vez como si no pudieras aprender algo? ¿Quizá fue una nueva habilidad en el trabajo o algo que tenga que ver con tu vida personal? Yo aprendí desde un principio que si me ejercitaba regularmente, me sentía mejor. Sin embargo, me llevó años actuar consistentemente en base de esa concientización. Me ejercitaba por un tiempo, luego viajaba, me enfermaba o estaba súper ocupada, o el clima estaba malísimo; y mi rutina de ejercicio era la primera cosa que abandonaba. Repetí esa clase metafórica muchas veces. Tú, amigo, deberás pasar las pruebas que la vida te presente. Si no lo haces, tendrás que quedarte en el mismo salón de clase y repetir el material hasta que desarrolles la capacidad de probar que estás listo para avanzar. Y sí, algunas clases son más difíciles que otras; algunas requieren más intentos para aprenderlas bien.

6. En la escuela de la vida, no hay castigos—solo consecuencias por el comportamiento.

Cuando fracasas en una de tus clases y tienes que reinscribirte, puede que te sientas como que estás siendo castigado. Puede que sientas que la vida no es justa o es demasiado dura. Puede que te castigues a ti mismo con tus pensamientos y diálogo interno—lo que yo me hacía cuando seguía fallando en la clase del ejercicio regular. El tono de mi voz interior se sentía como un regaño: *Sabes que necesitas ejercitarte. ¿Por qué te resulta tan difícil hacerlo una prioridad? ¿Por qué no puedes organizarte y hacerlo de una vez? Sabes que te sentirás mejor.* El Universo nunca castiga; solo enseña. Por lo tanto, cuando tienes que repetir una clase, simplemente significa que no estás listo para avanzar. Solo necesitas redoblar tu esfuerzo y ser más inteligente acerca de cómo dominar el material.

7. En la escuela de la vida, hay un fluir natural en el que tú llegas a estar más consciente y ser más competente. Aunque algunas clases son dolorosas y difíciles, la progresión del crecimiento lleva a un mayor disfrute de la vida.

La energía de tu vida es como un río que está fluyendo constantemente a medida que creces y te desarrollas. Algunas veces, estás en aguas tranquilas, disfrutando el paisaje y el momento; otras veces, el río se convierte en rápidos, y deberás trabajar duro para evitar hundirte. Cuando eso pasa, puede que necesites desarrollar nuevas habilidades de navegación o simplemente enfocarte en aplicar las habilidades que ya conoces para lograrlo. Las partes peligrosas y desafiantes de la jornada te ayudan a llegar a ser más competente. Las secciones más tranquilas, las cuales están intercaladas, te permiten dar un respiro. Te permiten reflexionar en lo que has aprendido para que puedas integrar ese conocimiento a una fundación más profunda de conocimiento y habilidades.

Este crecimiento continúa hasta la vejez. Los estudios muestran que la gente de mayor edad es más feliz y están más satisfechos con ellos mismos y sus vidas.[7] Han tenido años de experiencias en aguas bravas que les ayudaron a llegar allí. Por lo tanto, expresa gratitud por los momentos difíciles en tu vida, porque te ofrecen el don de una mayor conciencia y una habilidad más profunda de sentir satisfacción y alegría.

8. En la escuela de la vida, hay algo que se denomina llamada de atención. Si permaneces por demasiado tiempo en un salón de clases sin aprender tus lecciones, te estás resistiendo al flujo natural. El Universo se esforzará aún más por ayudarte a avanzar. Sus mensajes e instrucciones se harán más altos y fuertes.

Puede que hayas decidido que te gusta dónde estás y que no deseas seguir avanzando. O quizá has quedado atrapado en unas aguas bravas en el río de la vida y no puedes descifrar cómo continuar río abajo. Las llamadas de atención te alertan de que algo anda mal. Envían advertencias diciéndote que necesitas poner atención y lidiar con lo que sea que te esté manteniendo estancado. No importa si tu estancamiento es voluntario o involuntario. Si no vas con el flujo natural de la vida, al final experimentarás consecuencias que pueden no ser positivas. Por ejemplo, las llamadas de atención ocurren con desafortunada regularidad cuando las personas quedan seducidas por las adicciones. Si alguien que conoces está sufriendo con una adicción, entonces ya estarás familiarizado con el patrón predecible del uso de las drogas; ya sabes que hacen añicos las vidas. Si haces un repaso de su vidas, puedes ver que el Universo ha intentado una y otra vez enseñarle a esa persona las lecciones que la ayudarían a volver al buen camino. Las llamadas de atención sirven un propósito. Úsalas para hacer correcciones de medio curso que te prevendrán tocar fondo.

9. En la escuela de la vida, hay algo que viniste a hacer; estás aquí por una razón. Tienes lecciones que aprender y un propósito que satisfacer.

No es casualidad que estés aquí en la tierra. Estás aquí por diseño divino, seleccionado para ocupar un lugar único en el mosaico del tiempo. Naciste dentro de la generación que mejor puede apoyarte para aprender tus lecciones y completar tu propósito. Yo soy *baby boomer*, nacida durante la explosión demográfica y parte de la generación de los hippies y pensadores libres. Y aunque mis primeras experiencias *boomer* fueron sosegadas y diluidas, todavía crecí en una cultura que cuestionaba normas y valores que no habían sido desafiadas por generaciones. Esto me agrada, porque ahora ese cuestionamiento es parte de mí. Ha contribuido a lo que soy y dónde estoy.

10. En la escuela de la vida, habrá suficiente tiempo, recursos y apoyo para completar tus clases y cumplir con tu propósito. Depende de ti tomar ventaja de lo que se te ofrece.

Cuando yo era más joven, siempre andaba sin parar, corriendo como si la vida fuera una carrera corta en lugar de un maratón. Aunque sentía que estaba progresando (me estaba estableciendo metas y alcanzándolas) no pensaba mucho en el propósito mayor de mi vida. Sin embargo, ahora puedo ver que estaba «practicando» las habilidades que necesitaba para cumplir ese propósito. El universo me estaba preparando para mi objetivo. En cuanto entendí mi propósito, el tiempo se abrió, dándome la perfecta oportunidad de cumplirlo. Si te mantienes diligente en tus estudios en la escuela de la vida, usando los recursos que proporciona el Universo, harás lo que viniste a hacer.

11. En la escuela de la vida, hay por lo menos un talento único que deberás desarrollar y un don especial que deberás brindar. Parte de tu propósito de estar aquí es desarrollar tu talento (o talentos si tienes más de uno) y contribuir a través de tu don (o dones si tienes más de uno).

Me convertí en la asesora académica de una joven de nombre Lauren, cuando ella fue reclutada por el equipo femenino de natación en la universidad dónde yo trabajaba. Ella había aprendido a nadar desde que era una niñita y se había vuelto lo suficientemente buena para ganar una beca completa. Pero tras años de mirar el fondo de una piscina y levantar casi todas las mañanas para practicar a las 6:00 a.m., veía su natación más como un trabajo, como una forma de pagar la escuela. La natación era una habilidad aprendida para Lauren, pero su verdadero sueño era convertirse en veterinaria—una semilla que había brotado cuando fue la doctora de los perros y gatos de su familia. El trabajar con animales hacía feliz a Lauren— más que nadar. Y su afinidad natural con los animales era mutua; ellos parecían percibir su empatía y querían estar a su alrededor. Finalmente, estudió medicina veterinaria y muchos animales recibieron ayuda debido a que ella desarrolló su talento natural.

A medida que vas por la vida, desarrollas ciertas habilidades, las cuales puede que disfrutes usarlas o no. (Por ejemplo, probablemente sabes conducir un vehículo, pero puede que disfrutes o no manejar). Estas habilidades aprendidas son diferentes a tus talentos naturales que Dios te ha dado: aquellas semillas plantadas dentro de ti que naturalmente desean desarrollar y florecer. El desarrollar tus talentos y compartirlos con otros te da más acceso a tu potencial y te brinda un inmenso sentido de realización.

12. En la escuela de la vida, hay mayor progreso si te alineas con la fuerza creativa en el universo para llegar a ser cocreador de tu vida. Debes ir con el fluir natural, viviendo en balance con las leyes de la naturaleza y tu auténtico yo.

Me encontré por casualidad con un libro de Barry Stevens, cuyo título se ha quedado conmigo: *Don't Push the River: It Flows by Itself (No empujes al río: Fluye solo).*[8] Los pensamientos descentrados (por ejemplo, no cuidar de tu cuerpo o intentar ser alguien que no eres) pueden llevarte a aventurarte solo, separándote de la naturaleza (en otras palabras, «empujar el río»). Sin embargo, cuando sigues la corriente de la vida, viviendo en armonía con las leyes de la naturaleza y siendo honesto contigo mismo, el río de la vida puede llevarte a las alturas de la felicidad. Conozco a muchos maestros, consejeros y profesionales médicos que han descubierto que el sustentar y cuidar de otros es lo que los define como personas; es la función más auténtica para ellos. Sus vidas parecen fluir de un momento de bondad a otro, y el progreso que hacen en la escuela de la vida es extraordinario.

---

2. Actividades

Revisa otra vez las reglas de la escuela y pregúntate:

1. *¿Qué regla tiene un significado especial para mí?*
2. *¿Por qué es significativa?*

El uso de la intención

Aprender lecciones puede ser emocionante cuando las cosas van bien: das velocidad a tus clases, rindes bien en las pruebas que se aparecen en tu camino y continuamente exploras nuevo territorio; la vida es un encanto. Pero sin importar qué tan inteligente seas, es posible que termines sometiéndote al maestro duro ocasional o inscribirte a una clase donde no tienes aptitud o experiencia previa. Toda tu inteligencia e inventiva te fallan, y tus tropiezos encadenan tu autoconfianza y te mandan al carril lento.

La intención tiene el potencial de acelerar tu progreso en ambos casos. Si bien eres un estudiante con excelentes calificaciones o estás luchando solo para pasar tus clases, usar la intención es como pasar volando hacia el carril rápido y quedarse allí. No malentiendas: la vida no es una carrera; la meta no es siempre ir rápido. Algunas veces, la meta es permanecer en aguas tranquilas, saboreando el momento. Algunas de las personas más triunfadoras y productivas que conozco nunca parecen estar de prisa. Simplemente son expertos en el manejo del tiempo. Han aprendido a mantener su atención enfocada en el aquí y ahora. También debes aprender a separarte de la prisa del mundo para encontrar un ritmo y paso que sea cómodo y natural para ti. Sin embargo, esta preferencia para una velocidad menor es diferente a quedarte estancado en la escuela. Cuando te estancas, no sientes como si tuvieras una elección para avanzar. Tienes que repetir la clase en la que te inscribiste. Tienes que repasar el mismo material una y otra vez porque parece que no aprendes las lecciones lo suficiente para pasar los exámenes de la vida real. La progresión normal a través de la escuela es una de aprendizaje y crecimiento estable, y la intención puede ayudarte a lograr esto.

Por lo tanto, ¿qué es la intención y por qué es tan poderosa? La intención se refiere a una determinación para crear un cierto resultado o desenlace.[9] Es al mismo tiempo una claridad mental aguda y una actitud emocional que te hace estar 100 por ciento enfocado en lograr una meta. La intención es cuando cada pensamiento, sentimiento y célula en tu cuerpo se alinean y dicen: «Sí, hagamos esto—sin importar lo que se lleve».

Los resultados visibles del poder de la intención se ven regularmente en el mundo de los deportes: el pase de fútbol americano que es atrapado por el receptor entre un grupo de rivales, después de que el mariscal de campo «ve» la jugada antes de que el balón siquiera deje sus manos; la pelota de golf que bordea el hoyo y mágicamente cae dentro de él, después de que el golfista visualiza un golpe corto exitoso; el triple largo lanzado justo antes de que suene la bocina y que golpea el tablero justo en el ángulo correcto, pasando por la canasta para ganar el juego.

En tu vida, el poder de la intención puede no ser tan obvio, pero no significa que ese mismo enfoque mental no esté creando pequeños milagros diariamente. Yo veo esto ocurriendo en mi vida, especialmente cuando estoy tratando de completar alguna tarea dentro de un tiempo limitado y cuando creo que no hay manera de que pueda hacerlo.

Viajaba con frecuencia a Arkansas a visitar a mi padre de 92 años, quien vivía en un lugar de retiro. Le había pedido que viviera más cerca de mí, pero él no había querido mudarse, por lo tanto, mi hermana y yo tomábamos turnos para viajar e ir a verlo. Cuando nuestros aviones aterrizaban, sabíamos que solo teníamos cierta cantidad de tiempo para hacer todo: visitar a nuestro padre, llevarlo a citas médicas, pasar por el banco, llevarlo de compras o reunirnos con varios miembros del personal de su casa de retiro. Hubo varias veces (las cuales atribuyo a la intención) cuando las coincidencias se convirtieron en parte normal de mi día, y todo lo que había en mi lista de cosas que hacer, se hacía. Justo cuando pensaba que no tendría tiempo para ponerme al tanto con la enfermera de mi padre acerca de una nueva cuestión médica, me la encontraba en el pasillo. Quizá me mencionaba algo acerca de necesitar revisar el teléfono de mi papá, y luego me encontraba con el señor del mantenimiento mientras me dirigía a otra reunión. O descubría que papá necesitaba ropa nueva, y en la primera tienda en la que entraba, encontraba exactamente lo que estaba buscando—y en oferta.

Aunque por lo general estaba cansada después de mis visitas, mientras estaba allí, tenía toda la energía que necesitaba. Me hacía preguntarme cómo sería vivir cada parte de mi vida sin resistencia: donde cada pensamiento, sentimiento y acción se alineaban perfectamente para lograr mis metas; donde cada día estuviera guiado y estimulado por el poder de la intención.

Parte de mi trabajo como consejera académica era asegurar que los estudiantes atletas mantuvieran su elegibilidad académica para poder competir. Con algunos atletas, solo necesitaba completar una rápida revisión de su tarea escolar para ver si estaban bien. Con otros—aquellos que deseaban cambiar sus especialidades o quienes eran transferidos de fuera del estado—mantenerlos en la especialidad que querían y mantenerlos elegibles solía ser más difícil. Por pura necesidad, nuestro personal de oficina desarrolló un lema informal con respecto a lograr que los atletas fueran elegibles: haremos lo que sea necesario. Seguir trabajando en soluciones—dentro de las reglas académicas y el mejor interés del estudiante—y hacer que suceda. Si los atletas también aportaban su intención y esfuerzo, casi siempre podíamos lograrlo. Aprendí una lección valiosa. El tener una actitud de hacer lo que sea necesario al principio de una meta puede hacer toda la diferencia para que seas exitoso. La intención requiere esfuerzo para alinear todos tus recursos internos y comprometerte con la actitud de hacer lo que sea necesario. También requiere la contribución del universo, lo cual tiene el potencial de crear un impacto mucho mayor. Cuando tienes claridad acerca de una meta, aprovechas una reserva de energía que ha estado esperándote. Esa energía invisible se pone a obrar y se hace cargo de los detalles que tú no puedes controlar. Allana el camino y te guía hacia los resultados que quieres. La ayuda que obtienes de esta fuerza invisible está descrita elocuentemente en una de mis citas favoritas de William Hutchison Murray:

> *Hasta que uno no se compromete, hay renuencia, la posibilidad de echarse para atrás, siempre ineficacia. Con respecto a todos los actos de iniciativa y creación, existe una verdad elemental que al ser ignorada, mata incontables ideas y planes espléndidos: que el momento en que uno definitivamente se compromete, entonces la Providencia se mueve también. Todo tipo de cosas ocurren para ayudar a uno, que de otra manera nunca ocurrirían. Un torrente completo de eventos se genera de la decisión, despertando en nuestro favor todo tipo de incidentes imprevistos, encuentros y ayudas materiales, los cuales ningún hombre podría haber soñado que encontraría. Cualquier cosa que puedas hacer o soñar, comiénzalo. El atrevimiento conlleva ingenio, poder y magia. Comiénzalo ahora.*

Para anticiparte en cuanto a aprender tus lecciones, debes conocer tus habilidades de ejecución y entender cómo el Universo entrará en acción para apoyar tus fuertes intenciones.

Puedes usar ese poder de intención para aprender tus lecciones más rápido—con menos estrés, con menos experimentación en busca de las respuestas correctas a través del ensayo y error, y con más diversión.

Cuando comencé a usar la intención por primera vez, fue un trabajo difícil; pero imaginé que se suponía que fuera duro. Se suponía que debía impulsarme hacia adelante para mantenerme constantemente enfocada en mi meta y forzarla hacia la existencia. Pero en algún lugar del camino, noté un cambio. Sí, tenía que hacer mi parte, pero me dejé llevar por la energía de la meta, la cual ocurrió con menos esfuerzo de mi parte. Por lo tanto, en lugar de trabajar como un animal para *hacerla* realidad, después de aplicar mi intención, podría *dejar* que pasara a través de mí. Por ejemplo, a mí me encanta bailar. Tomé clases de baile por muchos años, y ahora bailo por mi casa solo porque lo disfruto. Algunas veces, *bailo con la música*; muevo mi cuerpo conscientemente al compás de la música. Algunas veces, *yo soy la música*, y me fusiono con esa energía. Y en días realmente exquisitos, *la música me baila a mí*. No estoy pensando en bailar o en cualquier otra cosa. Mi cuerpo se mueve al ritmo como si fuera propulsado por la misma música. Así suele suceder cuando uso la intención. El pensamiento de la meta junto con mi intención y la energía que viene de la Providencia cuando me comprometo a esa meta me impulsa hacia adelante. Los pasos hacia mi meta llegan a ser como el baile: me fusiono con intención y la intención me hace bailar.

No tienes que saber exactamente *cómo* cumplir con tu intención. Una vez que sepas qué quieres que pase, puedes confiar que el Universo llenará los detalles de cómo llegarás allí. De hecho, algunas veces, tus planes específicos de lograr tu intención en realidad te ralentizan; algunas veces, el esforzarse para hacer que suceda solo te obstaculiza. Es mejor ir con la corriente y dejar que pase. El poder de tu intención puede recurrir a todos los recursos que el Universo tiene disponibles, y puede que experimentes algo más allá de tus sueños más grandiosos.[10]

Digamos que quieres llegar a ser lo mejor que puedas en tu trabajo. ¿Cómo se verá eso? Tú serás la persona que no deja una piedra sin voltear para resolver cada problema, el que desarrolla una resistencia a los reveses y fracasos, la persona que se mantiene avanzando hacia sus metas, sin importar las probabilidades del éxito. Pensarás, actuarás y estarás absolutamente comprometido—sin una sola onza de limitación. Y una vez que tienes la intención, resulta útil encontrar una imagen de cómo se verá cuando logres esa intención. Por lo tanto, si tu intención es ser excelente en tu trabajo, quizá te ves a ti mismo obteniendo una promoción y mudándote a otra oficina; hasta puedes imaginar tu nombre en la puerta de la nueva oficina. Cuanto más específica sea la imagen, mejor será.

Si tu intención es visitar Hawaii, tal vez encuentres una foto de gente feliz en una playa. (Podrías incluso hacerte Photoshop tú mismo en la foto). Luego, colócala dónde la veas frecuentemente—quizá en tu refrigerador o sobre tu escritorio. Agregar otros sentidos también ayuda y lo hace más real. Imagina la vasta extensión del horizonte del océano. Siente el sol cálido en tu piel. Oye a las gaviotas. Huele la arena húmeda. Saborea la brisa salada del océano. Cuando obtienes una imagen clara de tus intenciones, tu mente subconsciente se pone a trabajar para descifrar cómo hacerlas suceder.

¿Cómo se vería si te convirtieras en un mejor estudiante en la escuela de la vida? (Imagínate a ti mismo avanzando fácilmente a través de tus clases metafóricas. Estás disfrutando de ti mismo, de la gente a tu alrededor y la vida en general).

Cuando descifras cómo ser un mejor estudiante de la vida, las posibilidades de tu futuro se hacen infinitas—y eso comienza con la intención.

¿Sabes lo que quieres lograr? ¿Tienes metas a corto y largo plazo? Mete el poder de la intención en tu bolsillo de recursos y sabe que la Providencia está esperando ayudarte con tu éxito cuando sea que estés listo.

---

3. Actividades

1. *Reflexiona en tus propias experiencias. Identifica una meta o tarea que pensaste que era imposible, pero en la que tuviste éxito de todas maneras. Pregúntate:*

- *¿Tenía yo una fuerte intención de hacerlo?*
- *¿Recibí ayuda inesperada del universo para apoyar mis esfuerzos?*
- *¿Tenía una imagen en mi cabeza acerca de cómo se vería si tenía éxito?*

2. *Enfoca tu atención en convertirte en el mejor estudiante de la vida: comienza a hacer las cosas que funcionan y deja de hacer las cosas que no.*

- *¿Cuál es una actividad que podría hacer para mejorar mi vida?*
- *¿Cómo sería si comenzara a hacer esa actividad?*
- *¿Cuál es una actividad que podría dejar de hacer que mejoraría mi vida significativamente?*
- *¿Cómo sería si dejara de hacer esa actividad?*

¿Te sientes energizado? La emoción acerca de las

posibilidades que puede traer la intención a tu futuro es una señal de que parte de ti está ansioso de explorar nuevas clases en tu escuela de la vida.

Capítulo 3

Todo acerca de las lecciones de vida

Una mirada más profunda a lo que todos necesitamos resolver

No mucho tiempo después de que me retiré, me uní a un gimnasio y tomé una clase de Pilates, donde casi todo mundo era más joven que yo. Siempre había sido buena en los deportes, por lo tanto, imaginé que después de un tiempo, podría tomar mi lugar usual como una de las mejores estudiantes de la clase. Cuatro meses más tarde, me di cuenta de que eso no iba a ocurrir. Podría ir al gimnasio todos los días, pero nunca iba a ser tan buena en Pilates como muchos de los que estaban allí. Fue entonces que reaprendí una lección: el envejecer significaba que yo estaba en diferentes salones de clase en la escuela de la vida. Mis lecciones con respecto a cualquier tema atlético generalmente se enfocaban en cómo mejorar mi fuerza y habilidades. Pero ahora que soy mayor, estoy aprendiendo que incluso si me enfoco en esas cosas, no hay garantía de que terminaré cerca de los mejores de la clase. Mi desafío actual es aceptar mi nueva posición y darme cuenta de que no necesito ser la mejor. Debido a que me está costando un poco acostumbrarme a este cambio, de tanto en tanto me recuerdo a mí misma que «estoy en esta clase para enfocarme en cuidar mi cuerpo, para asegurarme que me siento lo suficientemente bien para hacer todas las demás cosas que quiero hacer en la vida».

Tus lecciones de la vida cambiarán debido a tu edad y experiencia. Tu edad cronológica—ya seas un adolescente, adulto joven, de edad media o edad mayor—cambia tus prioridades y tareas, lo que significa que diferentes lecciones aparecen en tu camino.

Por lo tanto, ¿qué son las lecciones de vida? Y ¿cómo puedes convertirlas en compañeras fiables y valiosas? Las lecciones de vida son guías en cómo atravesar la siguiente sección de tu jornada. Son instrucciones de cómo seguir avanzando hacia la dirección correcta, cómo mantenerse por el buen camino y cómo continuar creciendo. Una definición del diccionario se refiere a ellas como «sabiduría práctica».[11] Las lecciones de la vida son conceptos que aprendes y que impactan tus elecciones y conductas, y que luego determinan cómo será tu futuro. Justo como con cualquier nueva persona que conoces, las lecciones de la vida pueden convertirse en amigas y aliadas o pueden terminar siendo obstáculos y adversarios si tratas de ignorar o resistir su consejo. Algunas veces, aprenderlas llega a ser tan insoportable que se sienten como un enemigo. Pero si puedes resistir y persistir con ellas hasta la etapa final del aprendizaje, te ofrecen la libertad de moverte a salones de clase más avanzados y nuevas aventuras. El aprenderlas también ofrece el regalo de una autoestima mejorada por luchar y pasar las pruebas que la vida te requiere.

Las matemáticas no son mi fuerte. Tomé una clase de estadísticas en la universidad, la cual casi acabó conmigo. Trabajé más duro en esa clase que en cualquier otra y logré obtener una B. ¡Estaba tan orgullosa de esa calificación! El entender el análisis de regresión no fue lo que yo llamaría «sabiduría práctica»; pero la experiencia—sintiéndome tonta, abroquelándome, luchando por mantenerme a flote y finalmente descifrándola—renovó mi confianza en mi habilidad de enfrentar y conquistar otros retos. Fue definitivamente una lección que valió la pena aprender.

Algunas lecciones las aprendes con el primer mensaje o grupo de instrucciones; otras toman años, quizá toda una vida, para finalmente aprenderlas. Algunas nunca las aprendes.

Las lecciones más difíciles son frecuentemente las que más te ayudan a crecer.

Entonces, ¿cómo te mueve el Universo a través de la escuela de la vida? ¿Cómo recibes y entiendes tus instrucciones?

Las características de las lecciones de vida

Aunque las lecciones de vida frecuentemente son claras y directas, también pueden ser escurridizas y fugaces, ocultas de la conciencia del día a día. Por ejemplo, los sueños recurrentes son frecuentemente mensajes del subconsciente acerca de lecciones que necesitan aprenderse; y sí, estos sueños deben ser interpretados para entender su significado. Los problemas recurrentes también contienen lecciones— lecciones que no desaparecerán hasta que se pasen las pruebas de la vida real.

Como estudiante de primer año en la universidad, me enamoré de la psicología. Cambié mi licenciatura y comencé una fascinación de toda una vida por el estudio del comportamiento humano. Recuerdo cuando aprendí el patrón de estímulo-respuesta. También recuerdo el día cuando me di cuenta de que las lecciones de vida tienen algunas de las mismas características del estímulo: ambas son eventos que causan que algo más pase. El entender las características de las lecciones de vida puede hacerlas más fácil de identificar, por lo tanto, he aquí lo que necesitas buscar:

1. Frecuencia.

Qué tan seguido obtienes instrucciones acerca de una lección de vida en particular, puede variar, desde nunca a todo el tiempo, con diferentes grados intermedios. (Me estoy refiriendo al número de veces en que *estás consciente* de que estás recibiendo instrucciones. Sin duda, el Universo trata de enviar innumerables mensajes que pasan inadvertidos). Por ejemplo, la primera vez que alguien me recomienda que lea un cierto libro, hago una nota mental de ello. La segunda vez que me sugiere el libro, me pregunto si necesito ponerlo en mi lista de lectura. Para la tercera vez, me estoy preguntando: *¿Es una coincidencia que este libro ha sido mencionado tres veces diferentes? Debería darle un vistazo.* Cada vez que esto ha pasado, he encontrado algo valioso en el libro que me ayudó con una o más lecciones.

2. Intensidad.

En general, las instrucciones acerca de las lecciones comienzan silenciosamente, sutilmente—más como murmullos, insinuaciones y empujoncitos. Si pasas por alto tu señal (especialmente si la pasas por alto muchas veces), tus instrucciones pueden llegar a ser más fuertes e intensas—más como alguien gritándote al oído. Si todavía no caes en la cuenta, tal vez recibas una llamada de atención, la cual puede variar de un percance a un verdadero choque que te detendrá completamente.

Anteriormente, mencioné la importancia de dormir para cuidar tu cuerpo. ¿Aprendiste la lección de la forma difícil? ¿Ignoraste los mensajes que te dio tu cuerpo acerca de necesitar más descanso? (¿Quizá te dieron dolores de cabeza, resfriados o dolor de garganta?) ¿Las quejas de tu cuerpo fueron más fuertes porque no respondiste? ¿Tuviste que padecer de una enfermedad grave para despertarte en cuanto al hecho de que no podías seguir funcionando sin dormir? No todas las enfermedades son el resultado de ese proceso, pero cuando lo son, a veces puedes mirar hacia atrás y ver las señales que pasaste por alto o ignoraste.

3. Urgencia.

Las lecciones de vida también caen dentro de una progresión de urgencia. Algunas lecciones necesitan abordarse inmediatamente (tienes una emergencia médica, por lo tanto, necesitas actuar de inmediato). Algunas instrucciones pueden retrasarse sin consecuencias negativas (necesitas limpiar tus armarios, pero hacerlo más tarde está bien). Tu definición exacta de la urgencia depende de tu percepción personal. Lo que es urgente para ti puede que no sea urgente para nadie más, y lo que no sea irresistible para ti puede ser irresistible para el Universo. A te paseas por la vida e, inesperadamente, recibes una llamada de atención—la cual es definitivamente una señal de urgencia. Puede que estés manejando tu carro, pensando en algo además de conducir, y de repente apenas te salvas de tener un accidente. Te das cuenta de que alguien te estaba cuidando, porque el Universo acabó de lograr obtener tu atención y protegerte del peligro. Esta llamada de atención a veces se denomina protección divina o intervención divina. Estas lecciones necesitan aprenderse rápidamente para que el Universo no tenga que repetirse con un resultado diferente. Todos hemos oído acerca de tragedias que ocurrieron debido al enviar mensajes de texto mientras se conduce, y sin embargo este hábito sigue siendo una epidemia.

4. La importancia.

Las lecciones e instrucciones también pueden ser colocadas en una escala de importancia. ¿Qué tan importante es poner atención a los mensajes que obtienes en la escuela de la vida? ¿Qué tan importante es seguir esas instrucciones? Aquí, nuevamente, la determinación de importancia es personal. Puede que coloques las lecciones de trabajo y carrera en los primeros lugares de la lista; alguien más puede haber puesto familia y relaciones personales. En general, serás más sensible a las instrucciones que están relacionadas a lo que tú consideras importante.

Un segundo aspecto de importancia tiene más que ver con las lecciones mayores frente a las menores. ¿Qué tan importante es para tu crecimiento general el que aprendas una lección particular? Hay una cita de Robert Service que dice: «No es la montaña frente a ti la que te desgasta; es el grano de arena en tus zapatos».[12] Algunas de las lecciones de la vida son mayores porque una vez que se aprenden, te permiten avanzar en la escuela de la vida a un ritmo mucho menos estresante. La gente que se está recuperando de una adicción o una enfermedad física o mental debilitante entiende esto a nivel personal.

5. La sincronización.

En términos de cuándo aprender qué lecciones, parece que el Universo tiene un reloj interno extraordinario que está personalizado y sincronizado—un reloj que de alguna manera sabe exactamente cuándo estás listo. Las insinuaciones, instrucciones y oportunidades seguirán apareciendo en tu senda hasta que desarrolles cualquier competencia que requieras para aplicar la enseñanza con éxito.

Cuando estaba en la universidad, comencé a fumar. A pesar de sentirme culpable y preocupada por mi salud, me resultó demasiado difícil dejar de fumar. Luego me enfermé. Gravemente enferma. Esta particular infección respiratoria duró una semana completa (generalmente, nunca me enfermo por más de un par de días) y me asustó. Honestamente, pensé que era un mensaje directo del Todopoderoso de que ya era hora de dejar de fumar en ese preciso momento, y que, si no lo hacía, terminaría con cáncer.

Al recordar esa experiencia, puedo ver la sincronización

perfecta entre mi enfermedad y el mensaje alarmante que conllevaba. Por ese entonces, ya había terminado la universidad y estaba en un buen trabajo. No tenía demasiado estrés en mi vida, y no estaba alrededor de otras personas que fumaran. No sé si me hubiera dado cáncer, pero acepté el regalo de ese temor; y a pesar de numerosas urgencias y tentaciones, nunca volví a tocar otro cigarrillo. Fue el tiempo perfecto para dejar de fumar y de alguna manera misteriosa, la vida parecía saber eso. Mi culpa y miedo habían escalado, dándome oportunidades numerosas y obvias para aprender la lección—que yo generalmente ignoraba. Pero una semana entera de enfermedad me puso a prueba y finalmente me comprometí a dejar de fumar. Recuerda: repites la clase hasta que la apruebes.

6. La relatividad.

Muchas de tus lecciones de vida son relativas a la situación. ¿Qué quiero decir con eso? Pues, la pertinencia de las lecciones depende de varias cosas, tales como gente, lugares, eventos, tiempo y otros factores. Este concepto de relatividad es difícil de entender. Sin embargo, una vez que lo entiendas, el aprendizaje, de hecho, puede volverse más fácil. Estoy segura de que te gustaría pensar que una vez que aprendas una lección, podrás aplicarla de forma generalizada, en toda ocasión, para siempre. Pero la vida es mucho más compleja. Piensa por un momento acerca de cómo decides qué ropa usar. No usas la misma ropa para ir a trabajar y para ir a un evento formal, y probablemente te pones ropa diferente para ir al gimnasio y para pintar tu cocina. Tú decides qué usar según la ocasión o el contexto, o lo que estés planeando hacer.

Digamos que estás trabajando a fin de confiar en otras personas. Desde una perspectiva relativa, la confianza depende de la persona que estás considerando confiar, lo que le vas a confiar, o si la persona tiene un historial de ser confiable, y en la relación que tengas con ella. Una lección acerca de la confianza puede aplicar en una situación con una persona en particular, y una lección diferente acerca de la confianza puede aplicar en otra circunstancia con alguien más. El aceptar esta complejidad te da la oportunidad de tomar mejores decisiones. Algunas veces, para avanzar al siguiente salón de clase, necesitas lidiar con lecciones de vida sobre una base relativa que varía de caso a caso.

A través de los años, con frecuencia serví en comités de búsqueda para contratar nuevos empleados. Durante las entrevistas personales, a menudo incluíamos una pregunta que presentara un dilema común y le preguntábamos al candidato lo que haría en esa situación. Siempre quedaba impresionada con aquellos que respondían: «Depende», y quienes luego mencionaban varios factores contextuales que influenciarían sus decisiones. Sus respuestas demostraban que tenían una experiencia sólida de trabajo, y que podían pensar en términos relativos. Yo quería contratar gente que pudiera tomar decisiones tras contemplar las circunstancias, en lugar de seguir a ciegas las políticas o prácticas profesionales comunes. Los candidatos más calificados rara vez daban respuestas de «Siempre» o «Nunca». Ya habían aprendido la lección de decir «Depende».

§

Como consejera universitaria, trabajé con cientos de estudiantes que estaban pasando por problemas que seguían surgiendo en sus vidas. Jessica era una estudiante de segundo año quien parecía siempre terminar en males relaciones con sus novios. Ella entendía su problema: seguía eligiendo hombres que eran emocionalmente distantes de las mismas formas que lo era su padre, pero parecía incapaz de hacer algo diferente. «Estoy tan cansada de separarme y tener que comenzar otra vez con otro nuevo», me dijo un día. Pero no bastaba con su percepción. Los indicios de que había una lección que necesitaba aprenderse habían ocurrido frecuentemente en la vida de Jessica. Muchas de esas situaciones tenían las características de **intensidad**, debido al dolor que ella experimentaba cuando las relaciones terminaban. El aprender la lección tenía gran **importancia** porque ella quería casarse eventualmente. Y Jessica sentía que el **tiempo** era el correcto para que ella descifrara lo que fuera que le permitiera por fin disfrutar de una relación saludable y comprometida.

Los problemas que provienen de tu origen familiar a veces son complicados y de múltiples niveles. El resolverlos exitosamente significa aprender muchas nuevas lecciones que son más apropiadas para dónde estás como adulto. Jessica tuvo que acongojarse por el padre que nunca tuvo para poder cambiar su patrón de conducta. Ella necesitaba deshacerse de toda la carga que había estado llevando desde su infancia— sentimientos y creencias acerca de los hombres y acerca de ella misma—que continuaba llevando a cada nueva relación. Una vez que lo hizo, estaba ansiosa por aprender nuevas habilidades de comportamiento acerca de cómo tomar mejor cuidado de sí misma en sus relaciones y cómo interactuar con su novio de formas más saludables.

Jessica se quedó en la universidad para obtener su maestría, por lo tanto, trabajé con ella de vez en cuando por varios años. La última vez que la vi, ya había estado en una relación de un año con alguien muy diferente a su padre, y las cosas iban muy bien. «A veces discutimos por cosas pequeñas, pero eso no hace que él quiera dejarme», dijo ella. La relación todavía era desafiante para ella, pero estaba complacida por cómo estaba manejando esos desafíos. Había aprendido sus lecciones lo suficientemente bien para moverse al siguiente salón de clase; Jessica ya no estaba estancada. Ella tuvo el coraje para enfrentar los sentimientos y creencias que yacían sepultadas en su subconsciente. Se había ganado su calificación hacia el siguiente salón de clase en la escuela de la vida.

---

4. Actividades

A medida que leíste a través de las características de las lecciones de vida, ¿se te ocurrieron algunos ejemplos de tu propia vida? Si no, piensa en un ejemplo personal (una lección que ya hayas aprendido). Escríbela y luego pregúntate:

- *¿Necesitaba recibir mensajes frecuentes acerca de esa lección o la aprendí rápidamente?*
- *¿Fueron las instrucciones intensas o fueron más como una insinuación o un empujoncito gentil?*
- *¿Qué tan urgente (en una escala del uno al cinco) fue para mí el aprender esa lección?*
- *¿Cuál fue la importancia (en una escala del uno al cinco) de esa lección?*
- *En cuanto a la sincronización del momento cuando aprendí esa lección, ¿cómo me facilitó o dificultó (en una escala del uno al cinco) el aprender dicha lección?*
- *¿Qué tal la característica de la relatividad? ¿La lección es aplicable de forma generalizada o depende? ¿Necesito modificarla según de qué se trata, dónde estoy o con quién estoy?*
- *Identificar las lecciones que ya aprendiste—y las formas como recibiste tus instrucciones—puede*

ayudarte a buscar algunas nuevas lecciones que la vida está tratando de ayudarte a dominar. Cuanta más atención pongas en la escuela, mejor serás al reconocer tus instrucciones la primera o segunda vez que se te ofrezcan.

Tipos de lecciones

¿Alguna vez has sentido que llegaste a la conclusión errónea acerca de una experiencia? Tal vez mal juzgaste una situación, lo cual te llevó a cometer un error. O quizá mal entendiste las intenciones de una persona, y la persona terminó hiriéndote. Tal vez miraste a fulanito y pensaste que su vida era perfecta, por lo tanto, intentaste imitar a esa persona y sacrificaste tu singularidad y autenticidad en el intento.

Las lecciones de vida siguen un patrón similar. El objetivo es aprender lecciones que afirmen tu vida, produzcan crecimiento y te lleven más lejos en el río de la vida. Sin embargo, a veces te confundes y llegas a las conclusiones equivocadas. Aprendes lecciones que retrasan tu crecimiento y hacen estancarte en los escombros mentales de una mala decisión (como quedar atascado entre troncos o dar vueltas y vueltas en una poza con remolinos).

Las lecciones pertenecen a dos categorías: **limitantes** o **productoras de crecimiento**. Las lecciones limitantes limitan tu crecimiento o te hacen daño. Un ejemplo de una lección limitante es pensar que tu singularidad es rara, incluso vergonzosa, cuando en realidad es algo que te hace especial. Aprendes lecciones dañinas cuando decides que adormecer tus sentimientos con comida, alcohol, drogas, compras u otros escapes no saludables de alguna manera mejorará las cosas.

Las lecciones en las que estoy enfocada a través de este libro caen en la segunda categoría: las que producen crecimiento. Se llaman lecciones de vida porque afirman, nutren y promueven vida. Apoyan tu crecimiento, te ayudan a pasar tus clases en la escuela de la vida, y te llevan por una senda donde puedes desarrollar tus talentos y propósito. Son la sabiduría práctica que te mantiene en el camino correcto. Puede sonar simple, pero a pesar de tus mejores esfuerzos, con frecuencia aprendes lecciones o tomas decisiones que temporalmente te marginan o te llevan a direcciones peligrosas o limitantes. Fallas en aprender de tus experiencias o aprendes las cosas incorrectas.

Las lecciones de vida necesitan distinguirse de hechos o información. El aprender un hecho de la historia no es una lección de vida. Sin embargo, si tomas ese hecho y lo usas para desarrollar alguna sabiduría práctica para tu propia vida, entonces se convierte en una. Yo adquirí información en mi clase de estadística, pero aprendí una lección de vida: si me esfuerzo mucho y continuo avanzando en situaciones difíciles, al final, termino siendo más resistente y más capaz de abordar el siguiente punto difícil que se me presente.

Hay dos tipos diferentes de lecciones de vida que producen crecimiento: **cambiantes** y **permanentes**. Vives en un mundo físico que está constantemente en un estado de fluctuación. Tu cuerpo se transforma todos los días, tus pensamientos vienen y van, y tus relaciones evolucionan. Las estaciones cambian en un ciclo interminable. El cliché de que lo que está aquí hoy, se irá mañana es absolutamente cierto en tu realidad física.

A veces es más fácil entender este concepto de cambio constante cuando consideras información objetiva. Ya sabes que cualquier cosa que aprendas hoy de tecnología, quizá será obsoleta el próximo mes. Pero ¿te has sorprendido al perder el empleo que has tenido por 15 años?—¿algo que pensaste que nunca pasaría? ¿Has quedado sorprendido cuando una relación de largo plazo terminó o tu salud llegó a ser una mayor preocupación? La mayoría de las personas dan por hecho ciertas cosas y asumen que nunca van a cambiar.

En la última sección, observé las características relativas de las lecciones de vida, donde la lección aplica solo en ciertas situaciones o contextos, donde la lección *depende* de circunstancias externas. Las **lecciones cambiantes** son diferentes. Cambian a lo largo de tu vida, desde la niñez, a la adolescencia y la madurez.

Como estudiante de la vida, necesitas entender lo que significan las lecciones cambiantes porque tienen el potencial de causar una confusión enorme y mantenerte repitiendo la misma clase una y otra vez. Las lecciones cambiantes requieren que las *desaprendas* para que puedas aprender otra lección en su lugar. Requieren que voluntariamente renuncies a lecciones que te esforzarte mucho por aprender en primer lugar— lecciones que, en su momento, pudieron haberte dado la mejor oportunidad de atravesar con seguridad lo que fuera que estaba sucediendo en tu vida. Renunciarlas no es fácil, porque estás agradecido por esas lecciones, y tienes temor de abandonarlas. Sin embargo, lo que aprendiste en segundo grado puede que no funcione en el décimo grado.

Mucha gente aprendió cómo sobrevivir como niños en medio de dinámicas familiares disfuncionales y destructivas. Pero lo que aprendieron como niños acerca de cómo mantenerse seguros, quizá lo tengan que desaprender a medida que maduran. Seguir actuando con una mentalidad de sobrevivencia pone en peligro la calidad de sus vidas como adultos. Están en situaciones de vida diferentes y tienen más opciones que las que tenían cuando iban creciendo.

Frecuentemente, algunas de las lecciones más duras que tendrás que aprender como adulto tienen que ver con lecciones cambiantes—desaprendiendo y dejando lo que aprendiste durante un tiempo anterior en tu vida para que puedas vivir una vida más plena y saludable en el presente. Mi estudiante, Jessica, necesitaba soltar muchas de las lecciones que aprendió de su padre antes de que pudiera experimentar una relación saludable de adulta con su novio.

Ahora bien, las **lecciones permanentes** aplican sin importar dónde estás en tu vida—sin importar lo que estás haciendo o con quién estás. Van más allá de las circunstancias de tu mundo físico. Por ejemplo, algunas personas se aferran a lecciones como: «Haz lo correcto» o «Escoge el buen camino», las cuales son enfoques que usan todo el tiempo. Los detalles de cómo se manifiestan cambiarán, pero creen y usan esas lecciones a lo largo de sus vidas.

Cuando niña, puse atención a la lección: «Siempre pon tu mejor esfuerzo», la cual iba de mano en mano con: «Si vale la pena hacerlo, vale la pena hacerlo bien». No diría que como niña era una perfeccionista o sobresaliente, pero traté de ser buena, seguir las reglas y complacer a la gente a mi alrededor. Pensé que viviría el resto de mi vida siguiendo esa lección.

Cambio de escena, 30 años más tarde. Yo estaba en una relación con una pareja que tenía una forma diferente de ver la vida. Tenía un buen sentido del humor y amaba la diversión; su actitud relajada daba un contrapeso bienvenido a mi enfoque súper concienzudo y serio. Trabajaba duro y ponía su mejor empeño en lo que él consideraba que eran sus prioridades. Compramos esta casa juntos y le agregamos un patio cerrado, el cual atrapaba las hojas de los árboles circundantes. Un día, yo estaba afuera en el patio, tratando de barrer cada una de las hojas. Habíamos invitado a otra pareja para la cena, por lo tanto, yo quería que estuviera inmaculado. Mi pareja me dijo: «¿Por qué te estás rompiendo la espalda para barrer el patio?».

«Porque quiero que se vea bonito».

«Pero solo va a ensuciarse de nuevo la próxima vez que sople el viento», respondió con toda naturalidad.

Por supuesto que yo ya sabía eso, pero algo acerca de cómo lo dijo me forzó a examinar si mi lección de «siempre pon tu mayor esfuerzo» necesitaba ser examinada. Y así fue. Ese día, con la caída inminente de más hojas, aprendí la lección acerca de lo «suficientemente bueno». Me di cuenta de que algunas cosas no valían la pena el tiempo y esfuerzo para empeñarme al máximo. Si algo no era una prioridad, quizá no era necesario darle un esfuerzo absoluto. Tal vez debido a la naturaleza de la tarea, no tenía sentido darle un 100 %; bastaba con hacer un trabajo lo «suficientemente bueno».

Por consiguiente, lo que comenzó como una lección permanente ahora se ha convertido en dos: «Poner mi mejor empeño» en lo que considere prioridades y cosas donde hacer menos no es aceptable (debido a mis valores y estándares, o debido a la tarea); y luego aceptar «lo suficientemente bueno» en el resto de las cosas. Ahora, esta diferencia me evita el sentirme culpable cuando elijo no dar el máximo esfuerzo en algún proyecto—especialmente, cuando estoy sobrecargada de prioridades. Es un alivio poder colocar deliberadamente ciertas responsabilidades en la categoría de lo suficientemente bueno y no sentirme culpable. El tomar decisiones conscientes entre los dos enfoques proporciona sabiduría práctica a medida que avanzo, dándome más tiempo y energía para lograr lo que es importante y experimentar las cosas que disfruto. Ten cuidado acerca de adoptar cualesquiera lecciones de vida rígidas que incluyan términos absolutos como *siempre* o *nunca*. Aunque esas lecciones puedan ser bien intencionadas, frecuentemente resultan en consecuencias que son limitantes o peligrosas. Yo tuve que pasar por un montón de culpa innecesaria y estrés que yo misma me causaba durante los momentos en que siempre traté de poner mi mejor empeño. Por lo tanto, cuando hablo de esforzarte al máximo, me estoy refiriendo a realizar un trabajo de calidad en las áreas más importantes para ti.

Cómo identificar tus lecciones de vida

Si vas a mejorar como un estudiante de la vida, aprender cómo identificar tus lecciones de vida se convierte en algo esencial. Reconocerlas te permite pasar tus clases la primera vez, y abre la puerta para explorar nuevos capítulos que son inherentes a niveles más avanzados. Prueba estas estrategias para mejorar tus habilidades:

1. Pon atención en clase.

Por años, enseñé técnicas de estudio a los estudiantes universitarios de primer año. Era interesante observar las muchas formas que podían ingeniarse para no poner atención en clase: platicando con la persona junto a ellos, dormitando, haciendo tarea de otra clase, o jugando con sus dispositivos electrónicos. Uno de los temas que cubrí era cómo mejorar la memoria. Por lo tanto, sus comportamientos distraídos se convirtieron en momentos de enseñanza para enfatizar que los humanos no recuerdan la información que no queda grabada en su cerebro. Podía darles las respuestas del siguiente examen, pero si nunca me oyeron porque estaban enviando mensajes de texto, las pasarían por alto completamente.

Si estás constantemente distraído con tu propia hiperactividad, dispositivos digitales, estrés, caos mental o emociones agotadoras, es difícil aprender tus lecciones o incluso saber que el Universo está tratando de enseñarte algo. Necesitas **poner atención en clase**. Necesitas despertar a lo que está pasando en tu vida: notar las coincidencias; abrir tu mente a una razón que explique lo que pasa a tu alrededor. Cualquier problema que estés experimentando generalmente significa que necesitas aprender una o más lecciones para resolverlos, así que pregúntate si hay una razón implícita con lo que estés enfrentando.

2. Usa la intención.

El aprovechar el poder de la intención puede llegar a ser una herramienta efectiva para ayudarte a identificar las lecciones de vida. Comprométete a llegar a ser un mejor estudiante de la vida, incluyendo ser más rápido para reconocer las lecciones la primera vez que aparezcan en tu camino. Usar la intención es como girar un interruptor donde todos los sistemas están encendidos. Estás mentalmente lúcido, emocionalmente involucrado y físicamente determinado a triunfar—pase lo que pase. Según Murray, ahí es cuando la Providencia comienza a obrar y «todo tipo de cosas ocurren para ayudar a uno que de otra manera nunca hubieran ocurrido». Por lo tanto, inténtalo. Puede convertir hasta la tarea más ardua en un as en la manga. La diferencia entre dar el 99 por ciento y dar un esfuerzo sin trabas puede ser tan amplia como el Gran Cañón, en términos de tus resultados.

3. Recuerda lo que ya sabes.

Ya sabes acerca de las características de las lecciones de la vida. Si aprendes a reconocerlas—más pronto que tarde—por sus características (frecuencia, intensidad, urgencia, importancia, tiempo y relatividad), la vida no tiene que darte una bofetada para obtener tu atención. El objetivo es evitar esas llamadas de atención.

61

4. Aprende del pasado.

Otra técnica para llegar a ser mejor en identificar tus lecciones es mirar al pasado. Identifica las lecciones que aprendiste en el pasado, y descifra cómo supiste que necesitabas aprenderlas.

---

5. Actividades

Hazte las siguientes preguntas:

- *¿Cuál es una lección de vida importante que he aprendido hasta ahora?*
- *¿Cómo sabía que necesitaba aprender eso?*
- *¿Cuál es otra lección de vida que ya aprendí?*
- *¿Quién (o qué) me dijo (o me mostró) que necesitaba aprenderla?*

Esta actividad, la cual puede repetirse muchas veces, te ayudará a ver las lecciones que ya tienes en tu haber.

El reconocer las lecciones que ya aprendiste puede ser un elemento de validación: te muestra que estás aprendiendo lecciones, porque de otro modo, no hubieras progresado tanto en tu vida. También señala cualesquiera patrones que indiquen cómo el Universo llamó tu atención para que supieras que había una lección que aprender. Identificar lecciones previas puede ayudarte a ver más claramente las que están en tu salón de clase actual; y puede ayudarte a mirar hacia el futuro para prepararte para las lecciones y exámenes que están por llegar. Por ejemplo, la mayoría de la gente aprende suficientes lecciones acerca del manejo del tiempo para evitar retrasos a la hora de pagar sus impuestos. Sin embargo, si miran con anticipación y ven que les tomará más tiempo pagar sus impuestos el siguiente año, pueden anticipar qué lecciones necesitarán usar para pasar el examen de la vida real al lograr cumplir con la fecha límite de presentación.

5. Practica identificar lecciones de vida.

Dominar cualquier habilidad nueva significa que debes practicar—y mucho. Deberás practicar la identificación de lecciones de vida si es que quieres llegar a ser bueno en eso.

---

6. *Actividades*

Toma unos cuantos minutos para hacerte estas preguntas:

- *¿Aprendí alguna lección de vida nueva hoy?*
- *¿Reaprendí alguna lección que ya sabía?*
- *¿Puedo identificar algunas áreas problemáticas en mi vida?*
- *¿Qué podrían estar tratando de enseñarme estos problemas? (Si no se te ocurre nada, adivina).*
- *¿He cometido un error o me siento estancado en alguna parte de mi vida? Si es así, ¿qué lección o lecciones necesito aprender? (Adivina, si es necesario).*

La práctica regular de identificar lecciones incrementa tus posibilidades de pasar tus clases la primera vez que te inscribas.

6. Pide ayuda y apoyo.

Habla con tus amigos, familia, compañeros de trabajo; pídeles su apoyo y consejo en tu proceso de aprendizaje. Pídele ayuda al Universo para mejorar tus habilidades. Ora si eres del tipo de persona que ora. Solicita lecciones que te ayudarán a identificar tus lecciones. Busca otros recursos que te puedan ser útiles, tales como libros y seminarios. Hay muchos recursos de apoyo disponibles. Si intentas recibir ese apoyo y sigues dando el siguiente paso, el Universo responderá y te proveerá lo que necesites.

7. Míralo desde otro punto de vista.

¿Alguna vez jugaste con un caleidoscopio cuando eras niño? Si lo hiciste, posiblemente recuerdas haberlo sostenido hacia la luz y haber visto detalles intricados de colores brillantes y diseños fascinantes. Con solo la fracción de un giro, el patrón completo cambiaba a una imagen diferente.

Otra técnica para identificar tus lecciones es mirarlas desde otro ángulo. Por lo tanto, gira tu caleidoscopio y observa las lecciones de vida desde el punto de vista de tus maestros—lo cual es en lo que se enfoca el siguiente capítulo.

Capítulo 4

Encontrar tus maestros externos

Descubrir quién y qué nos puede enseñar lo que nos falta aprender

Maestros externos

Mientras iba caminando del estacionamiento hacia el edificio donde estaba situada mi oficina, mi cabeza zumbaba con pensamientos del trabajo. Los pensamientos obsesivos eran solo otro síntoma más de mi sobrecarga de estrés, pero esta mañana, consumieron mi mente más de lo normal. Un fuerte graznido de los cuervos en los árboles de secoyas interrumpió mis pensamientos, y me di cuenta qué tan perdida había llegado a estar en mis reflexiones. Los cuervos siguieron graznando. Sentí como si estuvieran riéndose de mí por estar tan atrapada en mi clamor interno. Me reí entre dientes. Parecía que las únicas veces que recordaba a pájaros siendo tan ruidosos era cuando interferían con el ruido de mi obsesión. Si sus carcajadas eran un mensaje de que necesitaba pasar menos tiempo preocupándome, entonces eso coincidía con otra lección que estaba aprendiendo: *tenía que relajarme y no tomarme tan en serio*. Sentí esos mensajes estableciéndose en mi cuerpo de una manera que me dieron a entender que me había encontrado algunas verdades.

En la escuela de la vida, tus maestros—aquellos que te ayudan a aprender las lecciones que se espera que domines—están por todas partes y en todos lados donde necesites que estén; y tienen el mismo sentido de tiempo impecable que tus lecciones de vida. En cuanto estás listo para aprender, el Universo envía al mejor maestro para el trabajo. Puede que te gusten o no quienes aparezcan en tu vida, pero aparecen de forma inevitable, portando los regalos de información que necesitas. Estos maestros pueden ser cualquier persona o cualquier cosa en tus clases particulares. Muchas veces, te quedas estancado en la escuela porque no reconoces a alguien o algo como un maestro tratando de atraer tu atención. Y como las lecciones de vida, los maestros vienen en todas las formas, tamaños, contextos y grados de claridad. Algunos son duros y otros son fáciles. Sin embargo, si recuerdas de tus días de escuela, los maestros más difíciles—los que verdaderamente te hicieron trabajar—frecuentemente requirieron que aprendieras más, y sentiste el más alto sentido de satisfacción cuando finalmente pasaste sus clases. Sabías que habías trabajado duro para obtener la calificación para pasar. Algunas de tus lecciones más difíciles, enseñadas por tus maestros más duros, pueden darte el mayor valor y provecho a medida que navegas por la vida.

Los maestros se clasifican en dos categorías: externos e internos. Los maestros externos son aquellos que yacen afuera de ti, en tu medio ambiente, e incluyen experiencias de vida, gente, lugares, coincidencias, animales y el tiempo. Los maestros internos son aquellos dentro de ti, e incluyen tu cuerpo, pensamientos, comportamientos, emociones, adicciones, sueños e intuición.

En el ejemplo previo, los cuervos se convirtieron en maestros externos, señalando que me había vuelto a enredar demasiado mentalmente. Mis pensamientos obsesivos eran maestros internos diciéndome que estaba demasiado estresada. ¿Y ese sentimiento de estabilidad que sentí cuando descifré el mensaje? Esa fue mi intuición hablando a través de mi cuerpo para confirmar mi hipótesis.

Los maestros pueden ser tan informales y casuales como el mensaje pasajero de una etiqueta en un parachoques o un anuncio publicitario que te dice algo que necesitas oír en ese momento. Pueden ser tan formales como una relación estudiante-maestro con un mentor, jefe, héroe, modelo a seguir, familiar o amigo. Los estilos de enseñanza pueden ser tan variado como los mismos maestros: algunos llegan directamente y te dicen: «Esto es lo que necesitas saber». Algunos te dicen qué buscar, pero en realidad no te dan la respuesta. Algunos te ayudan a aprender dónde encontrar las respuestas. Y algunos te enseñan una de las lecciones más poderosas—cómo hacer las preguntas correctas.

Todos y todo lo que está en tu vida ahora mismo tiene el potencial de ser tu maestro. Eso incluye a las personas con las que disfrutas estar y las que no. Curiosamente, con frecuencia la gente que percibes como espinas en tus costados te dan las lecciones más valiosas. Y aquellos problemas que te hacen pensar «ojalá ya se fueran de una vez» tienen un lado esperanzador que te será revelado una vez que se resuelvan. Y aquellas partes de ti mismo que más te desagradan o temes, frecuentemente te colman con algunos de tus dones más beneficiosos—si puedes aceptar lo que están intentando ayudarte a aprender.

Debido a que estás inscrito en la escuela metafórica de la vida, tienes maestros en tu ambiente que te ayudan a aprender lo que se espera en tus clases. La siguiente lista identifica a algunos maestros externos en tu vida:

Experiencias

A menudo oyes decir que la experiencia es el mejor maestro. Es un maestro entre muchos; y si aprendes a extraer lecciones de tus experiencias, pueden llegar a ser poderosos catalizadores para tu progreso y crecimiento.

Toda tu vida está compuesta de una larga línea de experiencias que comienzan como situaciones. A medida que pasas de una situación a otra, haces elecciones; y a medida que esas situaciones se desarrollan, se convierten en tus experiencias de vida. La clave es beneficiarte de tus experiencias para que emerjas de cada una más fuerte, más sabio y con mayor capacidad para manejar la siguiente situación. Por lo tanto, tienes que mantenerte al tanto de cada situación— asegurándote de que no estás pasando por alto la conclusión importante o aprendiendo la lección equivocada—y poner tu mayor empeño en aprender de ello.

Durante mi extensa carrera en varias universidades, pasé varios años bajo un contrato anual. Nunca sabía si tendría un empleo el siguiente año—y rara vez me enteraba hasta el final de mi contrato si iba a ser renovado. Soy una planeadora, alguien que ama la seguridad y el saber qué esperar. Con un contrato de un año, no tenía nada de eso, y eso hacía que mi ansiedad se disparara a niveles incómodos. Seguía pensando: *Si tuviera un empleo seguro, mi vida sería mucho mejor; sería mucho más feliz y estaría menos ansiosa. ¿Cómo puedo encontrar estabilidad laboral?* Estaba convencida de que la lección que necesitaba aprender era encontrar un trabajo seguro. Luego, un día, me encontraba en el supermercado cuando noté que la canción que estaba sonando de fondo me molestaba. ¿Por qué me sentí irritada de repente? La canción era la de Bobby McFerrin, «Don't Worry, Be Happy», una canción estupenda con un mensaje irresistible.[13] Pero yo no quería oír a nadie diciéndome que fuera feliz. No tenía estabilidad laboral, por lo tanto, ¿cómo era posible ser feliz? Entonces me di cuenta: *Estaba tratando de aprender la lección equivocada.* Aunque querer estabilidad laboral era un deseo perfectamente lógico, sabía que era una ilusión; no me haría feliz. La lección que necesitaba aprender era a ser feliz sin importar mis circunstancias. Y desde ese día en adelante, he trabajado duro para mantener mi felicidad, sin importar lo que esté pasando en mi vida.

Los años que pasé bajo contratos de un año fueron duros para mí. Si no trabajaba, no comía; y estaba infinitamente estresada acerca del dinero. Ojalá hubiera aprendido la lección acerca de la felicidad más pronto. Me hubiera podido ahorrar mucho dolor. No obstante, estoy agradecida de por fin haberla entendido. Ahora tengo el resto de mi vida para cosechar de los frutos de hacer las cosas que me hacen feliz en los buenos y malos momentos.

Una vez que aprendí la lección de la felicidad en el ámbito laboral, la apliqué a otras partes de mi vida. Podía mirar las situaciones e inmediatamente ver la fantasía: *Seré feliz cuando alcance un cierto nivel económico, cuando mi relación con fulanito alcance un mejor equilibrio o cuando mejore mi estado físico.* La lista podría ser interminable. Pero el lado esperanzador de mi problema de no contar con estabilidad laboral ahora brilla fuerte en mi vida. Cuando pienso que cierto cambio me traerá felicidad, doy un paso atrás para tomar una decisión consciente de no recorrer ese camino.

Una cita de Vernon Sanders Law dice: «La experiencia es una maestra dura porque da la prueba primero y la lección después». Si enfrentas una situación por primera vez, a veces no puedes saber la lección hasta que reflexionas sobre lo que necesitabas aprender. Muchas de tus situaciones de vida son repeticiones de lo que ya has experimentado. Si sigues aprendiendo lo que necesitas aprender, la vida se hace más predecible y puedes pararte sobre una fundación más firme del conocimiento que acumulaste—que es justo lo que pasó después de que aprendí la lección de «seré feliz cuando…».

Con fin de que yo dominara esa lección, el Universo me

envió tres maestros para que me llamaran la atención: una experiencia de trabajo precaria, una canción en particular y una irritación emocional diciéndome que la canción había dado en el clavo. Se me habían dado muchas oportunidades para aprender la lección de la felicidad, pero no fue hasta que estos maestros aparecieron que descifré lo que me había estado manteniendo estancada.

7. Actividades

Tus experiencias en la vida pueden ser poderosos maestros. Apunta por lo menos dos lecciones de vida que tus experiencias te han enseñado.

Personas

¿Alguna vez has estado leyendo algo y lo que dice el autor salta a la vista y te toca como si hubiera sido destinado personalmente para ti? ¿O quizá por casualidad oyes fragmentos de una conversación y un comentario se te pega en la mente, dándote un mensaje acerca de una lección que necesitas aprender? Yo tuve un supervisor que escribió un comentario negativo acerca de mi estilo de liderazgo en una evaluación de desempeño y ese resultó ser el comentario que necesitaba para aprender una lección crucial en otra área de mi vida.

El Universo habla a través de personas—autores, extraños, cantautores, supervisores, familiares y amigos, o cualquier otra persona elegida para enviar el mensaje—para ayudarte a descifrar las lecciones que necesitas aprender allí mismo. De hecho, cada persona que está, que ha estado o que incluso estará en tu vida, tiene el potencial de ayudarte a aprender algo.

Los familiares son algunos de tus maestros más importantes. Ejercen una influencia poderosa sobre cuánto avanzas en la escuela de la vida. La mayoría de los expertos están de acuerdo en que lo que aprendes durante tus primeros cinco años tiene efectos críticos a largo plazo en tu crecimiento y desarrollo general. Dentro de ese periodo, aprendes actitudes, creencias, valores, prejuicios, hábitos y tradiciones. Aprendes lecciones acerca del amor y si eres encantador y aceptable. Aprendes acerca de la confianza y si el mundo es un lugar seguro. Aprendes lecciones acerca de la intimidad y los límites. Aprendes a manejar conflictos y cómo abordar tus propios sentimientos. Aprendes cómo cuidarte (o no cuidarte) a ti mismo y a otros. Básicamente, aprendes cómo sobrevivir en el mundo.

En cualquier relación, eres un estudiante y maestro al mismo tiempo. Aprendes de la persona con la que estás y esa persona aprende de ti. Si nada es coincidencia en la escuela de la vida, entonces naciste dentro de una familia que puede ayudarte a aprender cualesquiera lecciones que viniste aquí a aprender. Además, como un hijo o hermano en esa familia, te conviertes en maestro de otros miembros de la familia con base en lo que necesiten aprender. En tu escuela, todos y todo está interrelacionado y es interdependiente; se necesitan unos a otros para progresar.

Lo que sea que aprendas con tu familia de origen se convierte en el prototipo de cómo experimentes otras relaciones en tu vida. Te sientes atraído a lo que es familiar, por lo tanto, recreas en tu vida adulta la realidad que experimentaste cuando eras niño, porque eso para ti es «lo normal». Además, sigues aprendiendo las mismas lecciones de la gente—las buenas y las malas, las saludables y dañinas. El patrón se repite una y otra vez. Los jugadores pueden cambiar, y las escenas y el marco pueden

Lecciones de vida para lograr el éxito

ser diferentes, pero las lecciones siguen siendo las mismas. Jessica, la estudiante que mencioné anteriormente, siguió encontrándose con hombres como su padre, aprendiendo las mismas lecciones que le rompieron el corazón.

Sin embargo, aquí está la cuestión: cuando eres niño, estás tratando de sobrevivir, estar seguro y encontrar amor y aceptación. Las lecciones que aprendiste acerca de cómo hacer eso son correctas para tu situación actual. Pero luego creces, y la gente y circunstancias cambian en tu vida. Por consiguiente, ahora puede que necesites desaprender viejas lecciones y dominar lecciones diferentes a las que funcionaron cuando eras más joven.

Cuando continúas usando las mismas lecciones antiguas que aprendiste cuando eras niño, te quedarás estancado en la escuela de la vida. Aquellas lecciones quizá hayan sido apropiadas e incluso capaz de salvarte la vida en ese entonces, pero para el adulto que eres ahora, te mantendrán retrasado y te harán sentir miserable. Se convierten en creencias limitantes, insidiosamente invisibles, y crean un techo de cristal para quien te permites tú mismo llegar a ser. Aquí hay ejemplos de lecciones superadas que puede que hayas adoptado inconscientemente:

«No seas egoísta».

«No expreses tus sentimientos».

«No tengas sentimientos».

«Deberías avergonzarte de ti mismo».

«No basta con ser como eres».

También aplicas lecciones de tu familia que te sientan las bases para una vida feliz y saludable. Tuve la suerte de crecer con dos padres que me amaron incondicionalmente. Las lecciones que me enseñaron fueron invaluables. Aunque mi padre manejaba una práctica jurídica ocupada y realizaba una notable cantidad de servicio a la comunidad, siempre pasaba tiempo de calidad conmigo y mis dos hermanas. Debido a eso, aprendí que tengo valor inherente.

Nunca olvidaré el día en que mi mamá me enseñó una lección importante. Las dos íbamos en su carro cuando ella dijo: «Cada uno de nosotros es responsable por nuestra propia felicidad». No entendí completamente el significado de sus palabras, pero supe que eran importantes. No fue sino hasta después que me di cuenta del grado en el que ella siguió su propio consejo y, con ello, brindando un ejemplo brillante de una vida llena de gozo.

---

8. Actividades

Reflexiona sobre todas las personas que han hecho una diferencia en tu vida—familiares, amigos, autores, modelos a seguir. Elige a tres que hayan sido los maestros más importantes en tu vida y escribe una lección de vida que cada uno te ha ayudado a aprender. Y si no lo has hecho todavía, encuentra una forma de darles las gracias.

Coincidencias

Tuve un chequeo de rutina para una de mis mascotas en la oficina de mi veterinario. Mientras esperaba, noté una alcancía de color rosa brillante en el escritorio de la recepcionista con un letrero que decía «donaciones». El letrero también tenía una foto de un perro y algo escrito, pero no lo leí. Sabiendo que mi veterinario rescataba muchos animales, decidí contribuir, con una suposición confortable de que era para una buena causa. Al buscar dentro de mi bolso (pensé que daría un par de dólares, quizá cinco a lo máximo), me sorprendí cuando saqué un billete de $20 y lo deposité en el cerdito feliz. Me llamaron para la cita un poco después, por lo tanto, dejé de preguntarme acerca de mi comportamiento inusual.

La siguiente vez que fui a la oficina del veterinario, vi la misma alcancía, esta vez con un letrero que decía: «Gracias». Le pregunté a la recepcionista qué había pasado con el dinero, y ella se emocionó y me contó la historia. Una pareja iba conduciendo por la autopista cuando vieron a una perra siendo arrojada del vehículo enfrente de ellos. Pararon, recogieron a la perrita y la trajeron al veterinario, quien pasó casi todo un fin de semana tratando de salvarla. Debido al número de huesos rotos, él tuvo que emplear la ayuda de otro veterinario especialista en cirugías de hueso, y juntos salvaron la vida de la perrita. La pareja que la había traído, la adoptó, pero no podían costear de los honorarios del veterinario. Por lo tanto, ambos veterinarios decidieron no cobrarle por sus servicios, y el dinero en el cochinito había sido para los antibióticos y otros medicamentos que la perrita necesitaba cuando la pareja la llevara a casa. La recepcionista luego dijo: «Las donaciones pagaron casi hasta los últimos cinco centavos de todos los medicamentos. Qué increíble, ¿no?». Cuando oí que las donaciones habían cubierto todos los costos, casi hasta el último centavo, entendí por qué había contribuido más de lo usual. De repente, sentí que era parte de una conexión más grande para una causa valiosa y de compasión.

¿Cuáles eran las posibilidades de que esta gentil pareja

condujera detrás de la persona que había arrojado a la perrita? O ¿de que la hubieran llevado a los únicos veterinarios capaces de salvar su vida—gratis? O ¿qué tan probable era que las donaciones hubieran cubierto casi el costo completo de los medicamentos que la perrita necesitaba? Este tipo de coincidencias desafían todas las probabilidades y revelan un hilo de propósito más profundo que circula de forma invisible a través de vidas y experiencias. Demuestran la hechura del Universo y cómo respalda las intenciones puras y los deseos del corazón. Las coincidencias me asombran, pero he aprendido a verlas como la forma de decir del Universo: «Sí, esto es correcto». «Sí, eso era lo que debías hacer». «Sí, esta es una señal de ir en esta dirección a medida que continúas tu travesía por la escuela de la vida». «Y sí, soy uno de tus maestros más fascinantes». Las coincidencias brindan mensajes en formas más que únicas si eres capaz de sintonizarte a lo que ofrecen.

El diccionario Merriam-Webster define la palabra coincidencia como «la ocurrencia de eventos que pasan al mismo tiempo por accidente, pero parecen tener alguna conexión».[14] El psiquiatra suizo, Carl Jung, veía las coincidencias como evidencia de eventos que ocurrían más allá del mundo físico. Él creía que los sucesos que parecían ser aleatorios, que eran espolvoreados en la vida diaria, eran evidencia de un bien más profundo y más grande que estaba obrando detrás de todo.[15] Una coincidencia puede verse como un encuentro por casualidad, pero si la notas, puedes verla como algo significativo—casi como si el Universo de hecho creó justo tal improbabilidad para proporcionarte la información que necesitas en ese momento. Las probabilidades infinitesimales de que ciertos eventos se unan al mismo tiempo revelan la medida en que el Universo obrará para respaldarte en tu camino.

Hay dos tipos de coincidencias: menores y mayores. Las

coincidencias menores merecen mención y son interesantes, pero solo causan un pequeño impacto en una vida. Las coincidencias mayores, por otro lado, contienen un significado profundo y ejercen una influencia poderosa en una vida. Las elecciones de matrimonio y carrera son ejemplo de coincidencias mayores que cambian el curso de la vida de alguien—a veces, para siempre. Estoy fascinada con cómo la gente conoce a sus cónyuges. Conozco a varias parejas casadas, cuyo primer encuentro ocurrió a través de probabilidades tan increíbles que te obligan a creer que parte del plan del Universo consiste en él desarrollar el papel de Cupido. Lo mismo se aplica a cómo la gente encuentra sus empleos. Frecuentemente, sus instrucciones de hacia dónde dirigirse vienen a ellos a través de una o más coincidencias que los depositan en el lugar perfecto para su próxima carrera.

La primera vez que noté coincidencias en mi vida fue en el noveno grado, cuando nuestra familia tomó unas vacaciones a Colorado. Nos detuvimos para hacer un picnic en un área de campo maravillosa cerca de Estes Park, y nos encontramos a nuestros vecinos de Arkansas. ¡Qué casualidad! Pensé acerca de esa experiencia el resto del viaje, maravillándome de cómo ni siquiera sabíamos que los vecinos planeaban viajar ese verano. Me pareció no solo notable, sino también un tanto sorprendente de que hayamos terminado en el mismo lugar y al mismo tiempo, a miles de millas de casa. Esa coincidencia no tenía ningún significado fuerte y tampoco alteró el curso de mi vida. Sin embargo, tuvo un impacto mayor sobre mi pensar al introducirme el fascinante mundo de los eventos curiosamente improbables. Las coincidencias ocurren con más frecuencia cuando pones tu intención en una buena causa, tal como hacer la diferencia en la vida de alguien. Por ejemplo, mientras trabajaba en varios empleos universitarios, a menudo necesitaba apoyar a los estudiantes que estaban atascados en el sistema: no habían cumplido un plazo de inscripción y andaban apurados tratando de registrarse en las clases, o habían pasado por una crisis personal y habían sido descalificados académicamente y ahora estaban intentando regresar a la escuela. Con frecuencia, llegaban a mi oficina justo antes de la fecha límite final.

Y muchas veces, estos estudiantes apenas lograban inscribirse y entrar a la escuela debido a una serie de coincidencias— por ejemplo, a cada individuo del personal que yo llamaba en su representación estaba por coincidencia en la oficina y disponible para prestar ayuda. Algunas veces, el estudiante solo tenía 30 minutos para cruzar el campus y entregar un formulario para cumplir con la fecha límite. Cada vez que algo como eso pasaba, yo me reclinaba en mi silla y le decía al Universo: «¡Wow, gracias!».

¿Recuerdas la cita de Murray acerca de la intención (capítulo 2)? De eso estoy hablando aquí. Las coincidencias son la evidencia de la Providencia en acción, y ocurren en cada vida. Una de tus tareas como estudiante de la vida es poner atención y aprender a identificarlas a medida que ocurran para que puedas obtener las instrucciones que te están dando. ¿Hay veces en las que necesitas hablar con alguien y de repente te lo encuentras o resulta que te llama por algo completamente diferente? Considera los incidentes como estos como prueba de que la Providencia (o el Universo) está apoyando tus esfuerzos.

El día del funeral de mi abuelo comenzó gris, con un poco de lluvia cayendo de forma intermitente durante la mañana. Sin embargo, de camino a casa del cementerio, el sol salió y apareció un arcoíris como si dijera: «Todo está bien». Nos dio tal confort que no creo que el tiempo de tal evento tan significativo haya sido una coincidencia.

9. Actividades

Identifica una coincidencia que ocurrió en tu vida. Luego, pregúntate:

1. *¿Estuve consciente de la coincidencia cuando pasó o la reconocí después del hecho?*
2. *¿Tuvo la coincidencia una influencia mayor en mi vida o una menor y menos significativa?*

Practica reconocer coincidencias que pasan a tu alrededor en el momento presente, a medida que se desarrollen. Puede que también quieras escribirlas. Cuando incrementas tu conciencia, también aumentas tus posibilidades de aprender las lecciones que estos maestros misteriosos y encantadores pueden ofrecer.

Lugares

Cuando trabajo con grupos de gente, frecuentemente incluyo actividades de visualización guiada que se centran en la relajación. Y cuando les pido identificar un lugar físico donde se sientan seguros y relajados, sin excepción, todos pueden pensar en uno. Algunos encuentran ese lugar seguro en su hogar, por ejemplo, en su habitación o bajo un árbol en su patio trasero. Otros tienen un lugar especial en algún sitio al aire libre: en la playa, en las montañas o junto a un lago o arroyo.

La mayoría de las personas también saben de lugares donde se sienten inseguros, lugares que sienten peligrosos y amenazantes. Hay un centro comercial cerca de donde vivo que siempre se ha sentido escalofriante. Recientemente, oí que alguien fue matado a balazos allí, por lo tanto, ¿quién sabe qué «malas vibras» percibí? Cada ubicación física tiene su propia energía, su propio campo vibracional. Si pones atención en cómo te afectan lugares diferentes, puedes aprender lecciones valiosas acerca de estos lugares y acerca de ti. Una razón por la que compré la casa en la que estoy ahora fue debido a la energía positiva que sentí cada vez que iba dentro o manejaba cerca. Sabía incluso antes de mudarme que sería un lugar tranquilo para escribir.

Los lugares tienen un impacto significativo en ti, con o sin que tú estés consciente. En su libro, *Las enseñanzas de Don Juan*, Carlos Castañeda cuenta una historia acerca de trabajar con su maestro, Don Juan Matus, un «hombre sabio» yaqui.[16] Una noche, ambos estaban en el porche delantero de una casa cuando Don Juan le instruyó a Carlos para que «encontrara su lugar». Le dijo que había un lugar físico en ese porche donde Carlos podría sentarse sin cansarse, un lugar dónde se sentiría naturalmente feliz y fuerte.

Por lo tanto, Carlos pasó horas caminando, sentándose, estirándose y tanteando el área alrededor del porche hasta que de hecho encontró su lugar, el lugar que se sentía correcto para él.

A veces, irás a algún lado y, con o sin saberlo, serás atraído a tu «lugar». ¿Alguna vez has ido a un restaurante y cuando el mesero o mesera trató de sentarte en una mesa, pediste que te sentaran en otro lugar porque no se sentía bien?

Yo solía asistir a muchas juntas semanales con las mismas personas, por lo tanto, comencé a interesarme en observar dónde se sentaban las personas. Tras varias semanas de juntas, la gente encontraba sus lugares y se sentaban en el mismo lugar todas las veces. Y noté que una vez que encontré mi lugar, me sentí más cómoda y empoderada para contribuir, incluso si significaba tocar temas incómodos.

Hay un lugar que es un maestro tan único y poderoso que merece una mención especial: la naturaleza. Ya sea estando en un bosque, cerca del océano, junto a un lago o río, o solo mirando el cielo, la naturaleza tiene una forma de aquietar la mente, relajar el cuerpo y refrescar el alma. Su esencia misma es la de dar obsequios a través de los recursos que proporciona, y uno de esos regalos, amigo, son las lecciones que puedes aprender. Por ejemplo, un árbol proporciona sombra a cualquiera que la necesite. El árbol no pregunta acerca de la raza, ingreso, religión o afiliación política. Provee a todos por igual si hay necesidad. A veces, cuando me vuelvo crítica acerca de las personas, recuerdo la lección sobre la igualdad que aprendí de los árboles. El número de lecciones que puedes aprender de la naturaleza parece ser interminable. Por lo tanto, pasando tiempo al aire libre—trabajando en tu jardín, llevando a tu perro al parque o disfrutando de una brisa fresca de la noche—puede ayudarte a aprovechar de este maestro siempre presente.

---

10. Actividades

Toma nota de tus sentimientos la próxima vez que vayas a algún lado. ¿Te sientes cómodo o incómodo allí? El estar más consciente de las vibras u ondas de los lugares físicos te permitirá procesar información de ese medio ambiente y de tu mundo interior. Deja que esos sentimientos te enseñen acerca de cuáles lugares visitar y cuáles lugares evitar.

Piensa en un lugar donde te sientas seguro y relajado. Imagina estar en tu lugar seguro. (Puedes hacer esto con tus ojos abiertos o cerrados). Haz unas cuantas respiraciones profundas y vete a ti mismo en tu lugar seguro—no como si estuvieses viéndote a ti mismo en un escenario, sino como si estuvieras mirando con tus propios ojos. ¿Qué es lo que ves en este lugar? ¿Qué objetos, colores y texturas estás viendo? Escucha los sonidos de tu espacio seguro. Permítete acceder a los sentimientos. Luego, abre tus ojos y regresa al presente, sabiendo que tu lugar especial siempre está esperando que lo visites en tu imaginación cuando necesites paz y calma.

Animales

Aunque los animales puedan ser considerados como parte de la naturaleza, como maestros, merecen una mención por separado. Las diferentes culturas reconocen ciertos animales por sus cualidades especiales: las águilas por su visión aguda; los leones, los tigres y otros felinos grandes por su velocidad, fuerza y gracia; los perros por su lealtad y amor incondicional. Aun las criaturas más pequeñas pueden ser maestros. ¿Has observado a una hormiga? Su determinación no es nada menos que heroica.

Durante una entrevista, el autor James Redfield habló acerca de un ave que lo dirigió al lugar donde recibió inspiración para su primer libro, *The Celestine Prophecy (Las nueve revelaciones)*, el cual se convirtió en un enorme éxito de ventas a nivel internacional. Estaba sentado en una cresta en Sedona, Arizona, cuando un cuervo circuló por encima de su cabeza y luego se dirigió hacia un cañón. Cuando el cuervo voló a su alrededor la segunda vez, Redfield sintió interés, por lo tanto, lo siguió. El ave parecía estarlo guiando hacia un lugar en particular, y cuando él se sentó, ideas comenzaron a inundar su mente, ideas que le ayudaron a dar vida a su libro.[17]

Cuando íbamos creciendo, a mis hermanas y a mí se nos permitió tener varias mascotas: perros, periquitos, hámsters, tortugas, peces y gallinas o patos para Pascua. También monté caballos por años—entrenando, dando exhibiciones y dando lecciones de montar. Aprendí muchas cosas de todos esos animales: cómo apreciar sus diferentes personalidades, su alegría, y su falta de ego; cómo me aceptaban pase lo que pase; cómo guardaban todos mis secretos y a veces se convertían en un atesorado mejor amigo. Hoy, vivo con una colección de mascotas rescatadas; y estoy sorprendida en cómo enriquecen mi vida, alivian mi estrés y me hacen reír. ¿Sabías que con solo acariciar a un perro puede reducir tu presión arterial? Los perros te enseñan cómo tranquilizarte, cómo bajar tu ritmo cardiaco y como vivir en el presente porque allí es dónde ellos viven.[18] Aunque nunca he sido amante de los gatos, un gato callejero atigrado me adoptó a mí (tal como suelen hacer los gatos). Seva prefería ser un gato al aire libre y se convirtió en el pacificador del barrio. Después de que fue esterilizado, se hizo amigo de todos los gatos acosadores. Todos lo querían, incluso aquellos vecinos que no eran amigables con los gatos antes. El tener un gato algunas veces atrae a otros, por lo tanto, no pasó mucho tiempo antes de que una gatita callejera apareciera; ella se apegó a Seva como si él fuera la madre que le faltaba. Aunque compré dos camas de gato para mi patio, la gatita insistía en dormir con Seva, algo que él toleraba, dependiendo de qué tan molesta le pareciera en el momento. A medida que la gatita se hizo más apegada, de tanto en tanto Seva rechazaba su afecto al sujetarla y morderla en la nuca o perseguirla. Cuando se le iba encima, noté que la gatita se paralizaba y se agachaba sobre el suelo, para hacerse indefensa. Y funcionaba. Él se volvía más tolerante de su presencia.

Seva llegó a mi vida cuando yo estaba pasando por un periodo duro en el trabajo. Tenía un nuevo supervisor que tenía un estilo de liderazgo diferente al que yo estaba acostumbrada. Siempre había disfrutado de las relaciones con mis supervisores anteriores y había recibido críticas positivas en cuanto a mi rendimiento en el trabajo, pero de repente, parecía que nada de lo que hacía era lo suficientemente bueno o correcto. La situación se puso tan mal que hablé con un consejero de relaciones de empleados, quien puso las cosas en perspectiva: «Todos tienen un jefe difícil al menos una vez durante su carrera. La clave está en encontrar una forma de relacionarse con él o ella que no le haga sentir amenazado». En ese instante, recordé observar a la gatita interactuar con Seva. Cuando lo irritaba y él reaccionaba atacándola, ella se paralizaba y se sometía. *Ajá*. Inmediatamente supe lo que tenía que hacer con mi nuevo jefe: dar un paso atrás y no hacerme valer como de costumbre, volverme más pasiva y no crear ningún tipo de amenaza o incomodidad. Mi relación con mi supervisor no cambió de la noche a la mañana, pero mejoró—y puedo agradecer a dos gatos callejeros por ayudarme a aprender esa lección.

---

11. Actividades

Piensa en los animales que has conocido u observado. Identifica algunas de las lecciones de vida que te ayudaron a aprender. Escríbelas.

El tiempo

He enseñado manejo del tiempo por años—en clases universitarias, en conferencias y con personas que desean cumplir con sus metas. Un día me pregunté yo misma: *¿Me pregunto por qué sigo enseñando la misma cosa pero no me aburro?* Mi intuición respondió de inmediato: *Porque el consejo que das a otros es lo que tú **más necesitas oír**.* Bueno. No es como si no terminara bastantes cosas. La gente a menudo me ve como más productiva que la mayoría—aunque no estoy segura de que sea así. Sin embargo, estoy muy consciente de qué tan crucial es utilizar mi tiempo en lo que es importante, lo que cuadra con mis valores, metas y propósito en la vida. Con los años, he leído muchos libros y artículos de manejo del tiempo; he oído muchas historias de otra gente acerca de cómo luchan por hacer más; y he observado cuidadosamente mi propia relación con el tiempo. He llegado a darme cuenta de que la técnica del manejo del tiempo que más efectiva me ha resultado es ver el tiempo como un maestro—como un maestro poderoso y totalmente integral.

Y una de las lecciones básicas que me ha enseñado tiene que ver con la autoestima. Si no uso mi tiempo de la manera que quiero, frecuentemente, termino sintiéndome mal acerca de mí misma. ¿Te ha pasado? Si no usas tu tiempo de la forma prevista, ¿terminas sintiéndote mal acerca de ti mismo? Si te ha pasado, sabes que los malos sentimientos acerca de ti mismo resultan en baja autoestima—la cual afecta todo lo que haces. Digamos que llegas a casa del trabajo, exhausto y necesitado de un poco de tiempo para relajarte y descansar. Pero en lugar de hacer algo saludable—como ejercitarte o conectarte con tu cónyuge, niños o mascotas—te dejas caer frente al televisor por demasiado tiempo, te vas a la cama más tarde de lo planeado, y terminas sintiéndote peor la mañana siguiente. (Aunque algunas personas usan la televisión como una forma saludable de diversión, entretenimiento o recompensa, muchos otros quedan atrapados en su distracción y malgastan el tiempo). ¿Alguna vez has desperdiciado horas o días pegado a algún dispositivo electrónico que temporalmente te desconectó de tu vida y luego tuviste que esforzarte para ponerte al día? No me malentiendas: necesitas periodos de descanso saludable, alejados de estar enfocado y ser productivo. A veces, tú planeas esos descansos, y algunas otras solo pasan. He tenido conversaciones inesperadas con amigos, familia e incluso extraños que me sacaron de mi horario, pero me dejaron sintiendo renovada. Sin embargo, puedes socavar tu valor propio cuando desperdicias tu tiempo involuntariamente. Por ejemplo, cuando te dices a ti mismo que no vas a pasar demasiado tiempo en los medios sociales, pero sigues haciéndolo de todas maneras, socavas tu confianza en ti mismo y en tu habilidad de cumplir metas futuras. Gestionar el tiempo con éxito, o de forma más exacta, gestionarte a ti mismo en relación con el tiempo, importa. Importa mucho.

Yo soy una desidiosa en recuperación. Por años, estaba entre las mejores desidiosas. Dejaba las cosas hasta el último minuto y luego, me lanzaba en picada para lograr hazañas milagrosas, (casi) cumpliendo con mis fechas límite y sintiéndome como una heroína—aunque estresada. No fue hasta que di clases sobre la postergación que di un paso atrás y observé mi proceso. Y cuánto que vi: vi cómo disfrutaba el suspenso de si cumpliría con una fecha límite, y cómo me hice adicta de los golpes de adrenalina generados por drama que yo misma había creado.

La psicología dice que la gente continuará haciendo algo si eso implica una recompensa o un pago. Si están obteniendo algo al hacerlo, lo seguirán haciendo. Pero un comportamiento que no es premiado o reforzado morirá; dejarán de hacerlo. Las recompensas por mi postergación incluían la euforia generada por la adrenalina, un sentido de poder personal y un antídoto para el aburrimiento de otra tarea mundana. Con razón mi postergación duró años. Si eres desidioso, no estás solo. Mucha gente queda estancada en su postergación y no sabe cómo desentrañar el sistema de recompensas. No saben cómo encontrar formas alternativas y saludables de construir esas recompensas en sus vidas.

Los esfuerzos para superar la postergación frecuentemente requieren aprender lecciones complejas. Pero eso no es cierto en cuanto al manejo del tiempo. Una de las lecciones más simples para manejar el tiempo se llama *tiempo dedicado a la tarea*, el cual se refiere al tiempo pasado en una tarea o meta. El meollo de lograr algo que valga la pena casi siempre involucra suficiente tiempo de enfocarse en la tarea. Como dijo Thomas Edison: «Ninguna de mis invenciones llegó por casualidad. Todo se reduce al uno por ciento de inspiración y 99 por ciento de transpiración». Esa transpiración es a lo que me refiero cuando digo *tiempo dedicado a la tarea*. Aunque la mayoría de las personas saben que deben pasar más tiempo enfocados en sus metas, para algunos esto les resulta casi imposible de lograr. Pueden divagar vidas enteras mientras ellos continúan diciéndose: «Algún día, voy a...». Pero ese día nunca llega.

Recuerdo el día en que me di cuenta de que en algún punto me retiraría. Por años, mi estilo de vida de ser adicta al trabajo fue mi escudo contra ese pensamiento (es fácil dejarse arrullar en el pensamiento de que trabajarás para siempre cuando trabajas tanto). Yo estaba a mitad de mis treintas en ese momento—uno embarazosamente tardío para caer en la cuenta de esa eventualidad—pero también me sentía esperanzada de que, si era diligente en mi plan de ahorros, de alguna manera, estaría bien.

Cuando me enfrento a una nueva situación, normalmente me meto a mi función de estudiante y aprendo todo lo que pueda. Por lo tanto, tomé clases sobre planificación de retiro. En mi primera clase, el instructor nos dio una cita poderosa: «Los gastos se elevan al nivel del ingreso». Lo que sea que ganes, eso gastarás—*a menos* que te pagues a ti mismo primero al quitar dinero y ponerlo en ahorros. Yo le pedí a mi oficial de nómina que dedujera una cantidad de mis cheques mensuales y la depositara en una cuenta de retiro. Debido a que ganaba tan poco en el momento, dudaba si podría vivir con la cantidad restante. Para mi asombro, tenía suficiente dinero para llegar al final del mes—y esto pasaba cada mes. Mi experiencia tomó un aura sobrenatural; era como magia.

Mientras me preparaba para una conferencia sobre manejo del tiempo varios años más tarde, recordé la cita y de repente vi los paralelos entre el dinero y el tiempo. También recordé un adagio llamado la ley de Parkinson: «El trabajo se expande hasta llenar el tiempo disponible para su finalización». Tuve otro momento de *¡ajá!* porque esa era la lección que yo (e incontables otros que había observado) había sufrido por aprender. Amigo, el tiempo no viene para darte esa cantidad extra que necesitas para lograr una nueva meta. Tienes que hacerlo tú desde el principio y *encontrar* el tiempo para hacer que las cosas pasen. Tienes que programar el tiempo que necesitas para lograr tu meta y confiar que todas las otras cosas en tu vida se lograrán de alguna manera. (Quizá descubrirás que no necesitas hacer todo lo demás, al menos no en ese momento). No se te da más tiempo, por lo tanto, hallar el tiempo para trabajar en tu meta se convierte en tu prioridad, y luego encajas todo lo demás alrededor de ello.

Este enfoque mental decidido para completar una meta se remonta al reino casi místico del poder de la intención, similar a mi experiencia cuasi mágica con los ahorros para el retiro. Si dejas clara tu intención de lograr una meta en un cierto tiempo, mental y conductualmente, te ajustas para cumplir con esa fecha límite. Y, como dijo Murray, entonces la Providencia (o el Universo) empieza a obrar, se pone de acuerdo con tus esfuerzos y envía apoyo extra a lo largo de la jornada.

Otro aspecto esencial de manejar tu tiempo no trata con ser productivo; trata con tomar tiempo para simplemente *vivir*. Y hay diferentes formas de hacer eso: meditar; entretenerse en un arte, actividad física o un deporte; pasar tiempo con los hijos o mascotas; o estar en la naturaleza. Incluir estos tipos de actividades trae balance a tu vida personal y trabajo, y te hace más productivo. Yo trato de practicar lo que predico acerca del manejo del tiempo. A pesar de todos mis intentos frustrados, seguí tratando de aprender las lecciones que me ayudan a usar mi tiempo de forma sabia. Esto no significa que esté compulsivamente ocupada. Trato de hacer lo que es importante, manteniendo mi vida en balance sobre la marcha. Algo me dice que, en la escuela de la vida, permaneceré inscrita en una clase de manejo del tiempo. Todos los días tengo que decidir usar mi tiempo de una forma que honre y apoye la razón por la que estoy aquí.

---

12. Actividades

Si estás contento con la forma que pasas tu tiempo, ¡felicidades! El manejo del tiempo efectivo puede ser un paso enorme hacia la consecución de tus metas y propósito en la vida.

Si eres de los que sufren con el manejo del tiempo, puede que simplemente necesites aprender nuevas técnicas y ponerlas en práctica. Empieza por leer libros y artículos y ve si funcionan para ti. También puedes comenzar por entender que el tiempo es un maestro, y pregúntate:

1. *¿Qué lecciones ya he aprendido acerca del tiempo?*
2. *¿Qué lecciones todavía necesito aprender?*

Capítulo 5

Descubrir tus maestros internos

Explorar los mensajes de adentro

Maestros internos

Tus maestros internos son aquellos que yacen dentro de ti. Son las partes de ti que te ofrecen instrucciones invaluables—si puedes aprender cómo extraer y aceptar su sabiduría. Incluyen tu cuerpo, pensamientos, emociones, conductas, adicciones, sueños e intuición. Y abres sus instrucciones a través de la autoconsciencia, autodescubrimiento y autorreflexión.

Tienes la habilidad de ser un participante y un observador de tus experiencias internas. Esto significa que puedes hacer algo y observarte a ti mismo hacer dicha cosa—todo al mismo tiempo. Aunque solo puedes enfocarte en una perspectiva a la vez, es posible aprender cómo cambiar tu conciencia hacia el modo de observador, monitoreándote a ti mismo cuando estás involucrado en una actividad.

Practica observar tu mundo interno al enfocar tu conciencia en cada una de las siguientes partes:

Tu cuerpo

¿Tienes rugosidades en las uñas? ¿Se te está cayendo el cabello más de lo normal? ¿Por qué te molesta el estómago después de comer alimentos picantes? ¿Es el dolor en tu rodilla algo serio o exageraste cuando te estabas ejercitando y solo necesitas descansarla? Tu cuerpo te habla todo el tiempo, lo cual puede resultarte inconveniente e incluso molesto, pero

91

estos mensajes de tu cuerpo te dicen que pongas atención. Te indican que tal vez necesites abordar preocupaciones específicas. Por lo tanto, el problema no es cuando tu cuerpo está hablando; el problema es cuando no escuchas. Si aprendes a escuchar a las muchas voces de tu cuerpo, puedes darle un mejor cuidado.

La mayoría de la gente tiene problemas con sus cuerpos, cosas que los hacen sentir cohibidos. Pero te agrade o no te agrade tu cuerpo, será el tuyo por el resto de tu vida. Tu cuerpo, a veces denominado como un templo de adoración o el espíritu encarnado, proporciona un vehículo para tu alma para que puedas moverte alrededor de tu jornada a través de la vida. Para llegar a ser un buen estudiante de la vida, debes estar sano en cuerpo, alma y espíritu. Debes tomar buen cuidado de tu cuerpo—desarrollando una relación saludable con él y tratándolo con respeto—para que pueda ayudarte a progresar en la escuela. Las lecciones del cuidado propio van desde la curación (si estás herido, enfermo o funcionando más bajo de tu capacidad) hasta el alcanzar una aptitud física y salud óptima. Por lo tanto, las lecciones particulares que necesitas aprender dependen de dónde estés comenzando.

Hace años, asistí a una clase que se enfocaba en mejorar mis habilidades de escritura al incorporar los mensajes y energía de mi cuerpo.[19] Al final de la primera sesión, el instructor me dio una tarea: «Escribe una historia de tu cuerpo». La tarea sonaba bastante simple; por lo tanto, esa noche, comencé a escribir sin parar por casi una hora. Yo quería escribir acerca de mi cuerpo, pero mi cuerpo se apoderó de mí. Ella (mi cuerpo) se comunicó conmigo (o con la parte de mí que yo considero mi mente), *contándome* su historia. Me resigné a dejarla continuar con lo que me decía. De hecho, parecía una buena idea. Sus mensajes fluían a través de mi bolígrafo, como si hubiesen pasado años esperando para que yo le permitiera hablar. Mi historia a través de sus experiencias comenzó de forma predecible: ella nació; sintió los sentimientos de aquellos a su alrededor; disfrutó de aprender nuevas habilidades como caminar, correr y nadar; creció para llegar a ser adolescente, lidiando con las hormonas e intensas emociones. Pero una vez que mi cuerpo escribió acerca de la universidad, su tono cambió y realmente se abrió. Me recordó de las fiestas, cuando el alcohol y los cigarrillos habían entrado en escena. Ella escribió: *En la universidad. Tengo 19 años. ¿Por qué estás fumando? Sabes que me hace sentir mal. Está bien. Te perdono.* Pero lo que realmente me conmocionó fue cuando me explicó cuánto la exigí en la escuela de posgrado: *Siento que fuiste mala en la forma en que me forzaste más allá de la fatiga al punto de estar exhausto—a menudo por causa de tu mala planificación—no parando cuando yo estaba cansada, sino obligándome a seguir al tomar mucha cafeína para que pudieras lograr lo que sea que querías, totalmente desestimando lo que yo estaba tratando de decirte acerca de que necesitaba descanso.* ¡Caramba! Tenía toda la razón para estar enojada porque eso fue exactamente lo que pasó. Recordaba cada vez que yo fumé un cigarrillo, parrandeé demasiado, me llené de cafeína o recorté mis horas de sueño. El escuchar cosas desde su perspectiva me tocó profundamente, y largué a llorar. Por primera vez, pensé en mi cuerpo como una amiga de toda la vida que había maltratado, como alguien por quien nunca había tomado el tiempo de aprender cómo le hicieron sentir mis acciones.

Después de que ella expresó todas las cosas negativas que había estado soportando por décadas, mi cuerpo hizo una pausa. Luego, comenzó a escribir acerca de las cosas buenas que había hecho por ella. Me dio las gracias por ejercitarme regularmente y comer de forma saludable. Me recordó de las veces en las que dejaba el trabajo con los músculos del cuello y los hombros ardiendo tras haber pasado demasiado tiempo en el escritorio. Me dio las gracias por haber aprendido a estirar esos músculos y por tomar el hábito de estirarme todos los días. Quedé sorprendida por su larga lista de gracias.

Ese ejercicio simple de escritura se convirtió en el punto de partida de una nueva relación con mi cuerpo. Antes, yo quería que ella (mi cuerpo) hiciera lo que yo quisiera; yo quería que se sintiera como yo quería. Pero con esa sola actividad, entendí que tenía sus propias emociones, necesidades y límites. Y me di cuenta de que, al cuidarla y al trabajar juntas, ambas nos sentiríamos mejor y lograríamos hacer más cosas. Hoy, estoy más consciente de los mensajes que envía mi cuerpo, y actúo sobre ellos de inmediato. He aprendido que ella está más que lista para ofrecer comentarios—positivos y negativos—ahora que sabe que yo deseo su opinión. Cuando estoy ejercitándome, mi cuerpo me dice qué tipo de dolor es aceptable y cuál no lo es. Ella me dice qué alimentos me caen bien y cuáles no; me ayuda en formas que un nutriólogo nunca podría. También me dice cuándo dejar de comer porque no le gusta sentirse lleno. Afortunadamente para mí y mi cuerpo, ya dejé de fumar y tomar. La cafeína ha sido una historia diferente. Pero mi cuerpo me ha ayudado a aprender numerosas lecciones acerca de cómo cuidar de ella y evitar los excesos. Estoy sorprendida por su habilidad de curar y su voluntad de perdonar. No soy ni siquiera tan generosa e indulgente con otras personas como mi cuerpo ha sido conmigo. Claramente, todavía tengo lecciones que ella puede ayudarme a aprender. La cultura en la que vivimos exagera la importancia del cuerpo y su apariencia física. La gente frecuentemente maltrata sus cuerpos al punto del abuso, actuando como si el trabajo principal de sus cuerpos fuera hacerlos ver bien y ayudarlos a obtener lo que quieren. Si eres una de esas personas, permíteme decirte algo: tú no eres tu cuerpo.

Tu cuerpo es un maestro poderoso con el potencial de ayudarte o impedirte a lo largo de tu vida. Puesto que es un vehículo para tu alma, deberás mantenerlo en buen estado y funcionando al máximo nivel de eficiencia. Cuando tomas buen cuidado de tu cuerpo, puede darte gozo, placer, y oportunidades ilimitadas de expresión y crecimiento. Si no estás tratando a tu cuerpo con amor, todavía tienes lecciones que aprender.

---

13. Actividades

Anota una lección que tu cuerpo te ha ayudado a aprender. Si otras lecciones te vienen a la mente, anótalas también.

Pídele a tu cuerpo que escriba una carta de la misma forma que yo lo hice con mi tarea. Asegúrale a tu cuerpo que tiene la libertad total de decirte lo que quiera. Tu función es escuchar sin criticar, simplemente aceptando lo que diga. Reserva por lo menos una hora para el ejercicio de escritura. Elige un momento y un lugar donde no seas interrumpido. (Si crees que las cosas que tu cuerpo te dice podrán molestarte, pídele a un amigo o un familiar que te acompañe. Mejor aún, háganlo juntos, luego discuten lo que han aprendido). Con frecuencia, tu cuerpo no hablará contigo a menos que lo invites a que lo haga. Por lo tanto, aquí hay algunas cuestiones que puedes plantearle, y también unos ejemplos de cosas que te puede decir:

- *Me gusta cuando tú...*
- *No me gusta cuando tú...*

- *Por favor, comienza a...*
- *Por favor, deja de...*

Por ejemplo:

- *Me gusta cuando reduces tu consumo de cafeína.*
- *No me gusta cuando te acuestas demasiado tarde.*
- *Por favor, comienza a ir más al gimnasio.*
- *Por favor, deja de ingerir tanta comida chatarra.*

Repite estas invitaciones hasta que tu cuerpo ya no responda. Y no olvides agradecerle por compartir.

Tus pensamientos

De la misma manera que tú no eres tu cuerpo, tampoco eres tus pensamientos. Si te detienes a observar tus pensamientos como palabras desplazándose a través de una pantalla de televisión, te darás cuenta de que alguien además de tus pensamientos está observando. Ese *alguien* es tu esencia, tu conciencia, tu alma. Es el brillo de energía que permanece constante durante el tiempo que estás viviendo en tu cuerpo. Tu conciencia es el testigo de toda tu vida. Observó lo que pasó cuando eras un niño y un adolescente, y te observa ahora que eres un adulto. Observa cuando te quedas atascado y piensas: *Nunca voy a salir de esto.* Es incluso allí cuando piensas: *Necesito recordar que siempre he superado los tiempos difíciles.*

Generalmente, esa chispa de conciencia pura permanece oculta detrás del parloteo de tus pensamientos a medida que avanzas a través de tu vida ocupada; pero está allí, esperando a que abras la puerta y le des la bienvenida a tu mundo. Y observar tus pensamientos te da la oportunidad de abrir esa puerta. Cuando eres testigo de tus pensamientos, inmediatamente te das cuenta de su naturaleza hiperactiva; constantemente cambian de un tema a otro. En algunas prácticas de meditación, a la mente se le denomina como mono ebrio por causa de esa tendencia de saltar de un tema a otro, como si estuviese columpiándose frenéticamente entre ramas de pensamientos indisciplinados.[20] El objetivo de la meditación es dominar esa mente de mono, aportando un muy necesario descanso y sentido de la paz, para mejorar tu enfoque en todo lo que haces. Los pensamientos hiperactivos y rebeldes pueden algunas veces intensificarse, causando preocupaciones y obsesiones fuera de control. Mis propios pensamientos a menudo se mueven a un ritmo frenético; una vez que se aferran en un problema, no lo quieren soltar. Sí, soy aprensiva; es algo con lo que he lidiado desde que estaba en *la escuela secundaria*. Me quedaba despierta, preocupada por una cosa detrás de otra en un ciclo interminable de ansiedad e insomnio. Con el tiempo, aprendí a meditar, para así poder observar los pensamientos invasivos pero no involucrarme en su contenido.

Aunque tus pensamientos pueden causar problemas—cuando te preocupas demasiado o cuando se vuelven destructivos— son maestros fenomenales. La mayoría de las veces es importante escuchar su contenido porque ofrecen mensajes e instrucciones que necesitas oír. Muchos de tus pensamientos te mantienen enfocado y productivo; te alejarías de la ruta sin ellos. Te ayudan a entender, procesar e integrar lecciones que aprendes de todos tus otros maestros. Y a medida que aprendes a sacar partido y enfocarte en su contenido, llegan a ser un poder tremendo para el bien.

También es importante darte cuenta de que algunos de tus pensamientos no son verdaderos en absoluto. No siempre reflejan lo que se basa en la realidad. Son solo pensamientos que van y vienen, como el viento. El responder a todos tus pensamientos como si fuesen la verdad revelada, y actuar en consecuencia, puede causar que cometas errores. ¿Cuántas veces has mal entendido a alguien—actuado como si tu versión de su comunicación fuera real y te sentiste enojado o herido—y luego terminaste haciendo un desastre de la relación? Eso pasa todo el tiempo. Debes mantener una distancia saludable de tus pensamientos—especialmente cuando son de enojo—y cuestionar su validez desde un principio.

Convertirte en un estudiante excelente de la vida requiere entrenar tu mente para poner atención en clase, para concentrarte en un contenido específico. Te ejercitas para mantenerte en buen estado físico. Tu mente también necesita entrenamiento para estar en buen estado, lo que le permite mejorar en el poder de la intención. Parte de ese entrenamiento incluye tomar un descanso de tus pensamientos, permitiendo a tu mente relajarse. Muchas personas han descubierto que algún tipo de meditación mantiene todo fluyendo hacia adelante. A medida que llegues a ser más hábil en enfocarte, tus pensamientos se convierten en herramientas poderosas para el proceso creativo. «La energía sigue al pensamiento» es un dicho que significa que cualquier cosa que pienses, frecuentemente se manifiesta en el mundo físico. Por ejemplo, si piensas de ti mismo como valiente, tus comportamientos verbales y no verbales reflejarán ese pensamiento. Por consiguiente, se convierte en una profecía autorrealizada. El aspecto autorrealizador de tus pensamientos hace que sea aún más importante monitorear tus pensamientos. Tu mente no necesita ser como ese mono ebrio, brincando de un tema a otro. No necesitas pensar en lo que sea que venga a tu mente. Aprende a ser determinado en cuanto a tus pensamientos, y *elige* en lo que quieres enfocarte porque muy probablemente se convertirá en una realidad en tu vida. Si sujetas una imagen mental de lo que quieres y visualizas tu resultado deseado, incrementas la posibilidad de que tus metas específicas se vuelvan realidad. Tu creas lo que piensas y ves en tu mente, y es por eso que la visualización acompañada por el establecimiento de metas es tan efectiva. Atraes esa meta hacia ti por tus pensamientos e intenciones.

---

14. Actividades

Ejercicios de meditación

La meditación es una de las formas más rápidas de progresar en la escuela de la vida. Puedes invitar a tu alma a entrar a tu conciencia, permitiéndole jugar una función mayor en tu vida. Los muchos tipos de meditación te permiten elegir él que mejor te funcione, especialmente si te resulta difícil mantenerte lo suficientemente quieto para meditar. A veces, necesitas probar diferentes tipos antes de encontrar uno que funcione para ti. Aquí te presento algunos para probar:

1. *Aparta 10 minutos donde no serás interrumpido. Siéntate en una posición cómoda, cierra los ojos y observa tus pensamientos como si fuesen palabras u oraciones que se mueven a través de un televisor o una computadora. No te envuelvas en tus pensamientos, por más interesantes que parezcan. Solo deja que fluyan por la pantalla, observando cómo van y vienen, como si fuesen parte de una película que está fuera de ti.*

2. *Siéntate con tus ojos cerrados y escucha todos los sonidos a tu alrededor por 10 minutos. Si eso*

parece demasiado largo, hazlo por 5 minutos.

3. *Siéntate con los ojos cerrados y escucha a tu cuerpo por 5–10 minutos. Percibe todas las sensaciones físicas: tu respiración, tu postura, cualquier dolor o molestia, cualquier sentir de calor o frío. Simplemente observa; sé un testigo.*

Estas simples actividades pueden abrirte a nuevas energías, conciencias y posibilidades. Practica observar tus pensamientos por lo menos dos veces a la semana y observa qué pasa. Luego, agrega más tiempos de práctica hasta que medites todos los días.

Tus comportamientos

Estaba de pie cerca del fregadero de la cocina comiendo queso *cottage* directamente del contenedor. Ya me había comido la mitad del cartón, pero mi estómago ya no sentía la ansiedad que tenía antes de que empezara. Observé cómo comía y me dije a mí misma: «¿Qué te pasa? ¿No pudiste esperar hasta la cena?». La respuesta era obvia. Aunque una parte de mi podía ver lo que estaba haciendo mientras lo hacía, traté de ignorarlo. No quería que nada interfiriera con mi plan; solo quería que la ansiedad se fuera. El meterme algo en la boca inmediatamente después de llegar a casa del trabajo se había convertido en un hábito, y mi pequeño atracón de comida me hacía sentir culpable y fuera de control. Gracias a Dios que nunca se convirtió en un auténtico trastorno alimenticio. Yo aconsejaba a estudiantes que habían quedado atrapados en ese ciclo, y sabía muy bien qué tan abrumadores los trastornos alimenticios podían llegar a ser. Traté de controlar mi conducta lo mejor que pude; nunca comía hasta sentirme incómodamente llena, pero el horario de mis comidas no era el adecuado. Varios años más tarde, la carta que mi cuerpo me escribió expuso la razón detrás de mis pequeños atracones. Y al abordar la causa fundamental, acabé con ellos.

¿Tienes días en los que tu conducta parece estar fuera de control, cuando miras atrás y te preguntas: «Qué estaría pensando...»? Muchas veces, estarás de acuerdo en que no estabas pensando, no con pensamientos racionales. Contrasta eso con los días en cuando estás enfocado como un láser, donde cada una de tus fibras se concentra en una tarea o proyecto. Ahondas en el momento presente con tal conciencia e intención que el tiempo se distorsiona—de buena manera. Te pierdes en el ahora, y accedes a lo que Mihály Csíkszentmihályi llama el *flujo*, un lugar mágico donde tu comportamiento refleja un involucramiento completo con lo que sea que estés haciendo.[21] La mayoría de tu vida se pasa viviendo entre la fluidez y el descontrol.

Tu comportamiento—lo que *haces* mientras estás aquí en la Tierra—tiene una importancia inmensa. Tu conducta se convierte en parte de tu legado, un registro tangible del tiempo precioso que se te ha dado en la escuela de la vida. Tal como escribió Gandhi: «Mi vida es mi mensaje». Sus acciones llegaron a ser la enseñanza que ofreció al mundo.

Carl Yung una vez dijo: «Eres lo que haces, no lo que dices que harás». Puedes tener las mejores intenciones, pero si no pones esas intenciones en acción, se pierden en tus pensamientos. Puedes profesar tus valores, deseos, esperanzas y sueños, pero sin acción, no sirven de nada. Hablar es barato; cualquiera puede decir las palabras. El poner esas palabras en acción con resultados tangibles es el meollo de hacer tu vida significativa.

Si tu conducta es problemática, hay buenas noticias: puedes cambiarla al usar el principio de la psicología que dice que todo comportamiento sirve a un propósito, y ese es darte algo que necesitas o quieres. Algún aspecto del comportamiento es gratificante. Y si el comportamiento no se refuerza, dejarás de hacerlo. Mis pequeños atracones de comida me daban un escape de la horrible ansiedad, por lo tanto, definitivamente sirvieron a un propósito.

Cada problema contiene por lo menos una lección, y tú eres responsable de aprender tus lecciones, para que no te quedes estancado en ese salón de clase. Como estudiante de la vida, deberás descifrar qué recompensa estás obteniendo de un comportamiento problemático, y deberás reemplazarlo con uno saludable. Digamos que te desconectas por un rato mientras miras TV y comes más de lo que deberías. Tú crees que mereces ese tiempo de descanso porque trabajaste duro y te ganaste tu recompensa. Pero ahora te sientes mal; claramente, tu comportamiento no te está funcionando. Por consiguiente, trata de ajustar tus recompensas. Date el tiempo para descansar, pero come algo antes, para que no tengas hambre cuando estás reposando frente al televisor. Mantén lejos los alimentos de donde estés viendo la tele y luego disfruta sentirte bien acerca de ti mismo. Este es solo un ejemplo. No sé qué lecciones te ayudarán a ti o a alguien más. Pero sé que puedes cambiar las conductas problemáticas todos los días al descifrar cuáles lecciones funcionan para ti.

En mi situación, aprendí que estaba tanto ansiosa como hambrienta cuando llegaba del trabajo. (¿No es así? Tienes más posibilidades de hacer cosas que lamentas cuando tienes hambre, estás cansado, solo, aburrido o enojado). Mi cuerpo quería comida, solo que no mucha. Por lo tanto, comencé a comer un huevo cocido en lugar del queso *cottage*. Hasta el día de hoy, a veces me como un huevo (y solo uno) cuando llego a casa por la noche. Mantengo un tazón de huevos cocidos en mi refrigerador como un alimento rápido y sencillo. Algo acerca de la proteína satisface mi apetito y me da suficiente energía para guardar cosas, revisar el correo y preparar una cena saludable. Una sustitución, una lección que cambió mi conducta problemática dramáticamente. Puedes cambiar muchos de tus comportamientos no deseados al simplemente sustituir diferentes recompensas. Otras conductas son más obstinadas y toman tiempo, esfuerzo, y a veces hasta ayuda de un profesional. Si cambias el sistema de recompensas, con frecuencia puedes cambiar las conductas problemáticas más rápidamente. A menudo es una simple cuestión de evitar el comportamiento: si las galletas dulces son tu debilidad, no las compres. Si no están en la casa, no te sentirás tentado a comerlas. La recompensa de sentirte bien acerca de ti mismo y tu solución superará con creces el sentir que obtienes mientras comes tu galleta.

Tengo una palabra de advertencia: no te quedes en un vacío. Si decides dejar de hacer algo, pero no encuentras un comportamiento que puedas sustituir, creas un vacío (uno que frecuentemente se llena con la ansiedad), haciendo más probable que regreses al comportamiento problemático. Por ejemplo, el cambiar del queso *cottage* a los huevos duros alimentó mi hambre física, pero no era probable que me excediera en el consumo de huevos. Si solo hubiera tratado de no comer el queso *cottage*, hubiera creado un vacío; y es probable que hubiera encontrado algo más para darme un atracón, quizá algo peor. Por lo tanto, encuentra un comportamiento sustituto antes de realizar el cambio para así no dejar un vacío.

Estoy segura de que tienes comportamientos que quieres *dejar de tener* (la mayoría de la gente los tiene) y algunos que quieres *comenzar* a tener—como lograr nuevas metas que finalmente satisfarán tus sueños. Si pones atención, tu conducta te enseñará cómo detener acciones no deseadas y cómo comenzar nuevos hábitos, lo que significa que podrás pasar tus clases y avanzar en la escuela.

Frank Outlaw nos dio esta cita poderosa:

> *Cuida tus pensamientos, se convierten en palabras;*
> *Cuida tus palabras, se convierten en acciones;*
> *Cuida tus acciones, se convierten en hábitos;*
> *Cuida tus hábitos, se convierten en carácter;*
> *Cuida tu carácter, porque se convierte en tu destino.*

Tu comportamiento es un maestro efectivo porque puedes ver las consecuencias de tus acciones muy rápidamente. Obtienes una respuesta sobre si lo que hiciste fue correcto. La lección que elegiste para cambiar tu comportamiento o funcionará o no. Si no funciona, intenta algo más. Tu tarea es seguir avanzando hasta que descubras la lección que tu comportamiento afirma que es la correcta, luego practica lo suficiente para que se convierta en un nuevo hábito.

A menudo escuchas decir que toma 21 días para que un comportamiento se convierta en hábito. He descubierto que a veces lleva más tiempo y a veces no; solo depende de lo que se trate el comportamiento. Pero sin importar cuánto tiempo lleve, deberás seguir practicando la nueva conducta hasta que se haga automática.

Los sueños se convierten en realidad a través de la rutina, a través de los hábitos diarios de hacer la tarea. Por consiguiente, si quieres ser serio acerca de cumplir tus sueños, puedes confiar en que tu comportamiento te enseñará cómo formar los hábitos que harán que esos sueños se hagan realidad.

15. Actividades

Tu comportamiento te enseñará cómo hacer cambios deseados si aprendes a observar las consecuencias de tus acciones. Las siguientes actividades te ayudarán a mejorar en romper hábitos no deseados.

Identifica un comportamiento que quieras dejar de tener. Luego, pregúntate:

1. *¿Qué recompensa estoy obteniendo de tener ese comportamiento?*
2. *¿Cuál es la recompensa saludable que puedo sustituir para cambiar ese comportamiento?*

Usa la nueva recompensa y ve si ayuda. Si lo hace, has encontrado la lección que necesitas aprender. Por lo tanto, sigue practicando hasta que se convierta en un hábito. Si no ayuda, usa tu mejor hipótesis para elegir otra recompensa saludable. Sigue probando diferentes gratificaciones hasta que descifres lo que funciona. Y por favor, no caigas víctima de un sentimiento de culpabilidad si tratas de cambiar un hábito y no funciona. Algunas lecciones toman más tiempo para aprender que otras. El poder identificar qué recompensa estás sacando de un comportamiento problemático es un paso enorme para poder cambiarlo.

Tus emociones

Piensa en tus emociones como regalos que le suman color, textura e intensidad a tu vida: el deleite en la risa de los niños, el amor que sientes por alguien, la paz que viene de una vida bien vivida. Tus sentimientos son formas naturales de energía física; son maestros internos que te proporcionan información crucial acerca de tu vida, tus elecciones y lo que te gusta o lo que no. También sirven como guías emocionales en tu jornada, dirigiéndote a través de los altibajos; y crean significado de tus experiencias. En un acto de generosidad pura, tus sentimientos te dirigen hacia tu misión y propósito al ayudarte a identificar lo que te da alegría y un sentido de satisfacción.

Tú no eres tu cuerpo o tus sentimientos, tampoco tus emociones. Aunque se puedan sentir tan correctas algunas veces, la energía de tus emociones viene y va con bastante rapidez. Tus emociones forman intricadas conexiones con tus otros maestros internos—tu cuerpo, tus pensamientos, y comportamiento—para asegurarse que domines tus lecciones. Al aprender a pasar la clase de ejercicio regular, me establecí una meta de hacer ejercicio una vez a la semana. Si hacía una buena sesión de ejercicio una vez a la semana, me sentía mejor que si no me hubiera ejercitado en absoluto. Cuando faltaba a mi rutina de ejercicio semanal, me sentía con depresión e irritable. Mi pensamiento se volvía negativo y empezaba a adoptar una matiz pesimista—y así no soy yo. Por lo tanto, mis pensamientos y emociones me decían que mi cuerpo necesitaba ejercitarse.

¿Alguna vez te has encontrado de pie frente a un refrigerador abierto, buscando algo que comer cuando no tenías nada de hambre? Quizá estabas aburrido y el comer te dio algo qué hacer. Quizá estabas posponiendo algo y la idea de comer algo parecía una forma legítima de evitar lo que sabías que debías estar haciendo. O quizá tenías algún sentimiento vago e incómodo, y el llenar tu estómago evitó que ese pensamiento llegara a la superficie. No supiste qué era, pero no querías lidiar con él. Tus emociones y conductas forman una interacción compleja.

La cultura de hoy dice que las emociones negativas son malas y deben evitarse a toda costa. Te dice que estás haciendo algo mal si no eres positivo y feliz. Sin embargo, cuando no te permites sentir sentimientos incómodos, te limitas al grado al cual puedas experimentar los placenteros, porque el negar cualquier emoción significa poner una cubierta en el resto. Si no está bien sentirse enojado, triste, frustrado o con miedo; entonces, no puedes sentir el grado total de tu alegría, pasión, gratitud y esperanza. En sí mismas, las emociones ni son buenas ni malas, positivas o negativas. Sin embargo, la forma en que las experimentas puede ser placentera o desagradable.[22] *Todos* tus sentimientos sirven a un propósito: la culpa frecuentemente te dice que hiciste algo mal, y te ayuda a aprender de tus errores. El miedo puede protegerte del peligro. La confusión puede motivarte a investigar más a fondo para entender lo que no esté claro. El arrepentimiento puede empujarte para disculparte con alguien o para que tengas cuidado de no violar tus estándares de nuevo.

Yo uso algo que se llama **remordimiento anticipado** porque es una emoción tan útil. Tal como menciona el autor Matthew Hutson: «Este miedo de un futuro odio hacia nosotros mismos nos hace usar condones, beber menos y comer mejor».[23] He descubierto que puedo usar este sentimiento para más que solo evitar estar enojada conmigo misma. De hecho, ha llegado a ser mi mejor técnica para tomar decisiones porque es rápida, fácil y poderosa. Si estoy intentando decidir hacer algo, me pregunto: *En cinco años, ¿vas a mirar atrás y lamentar esto? ¿Sí o no?* También me pregunto: *¿Lamentarás no hacerlo? ¿Sí o no?* Generalmente, obtengo una respuesta inmediata de mi corazonada o intuición, por lo tanto, mi arrepentimiento anticipado me da la respuesta que estoy buscando.

A la mayoría de la gente no se le ha enseñado cómo lidiar con las emociones negativas en formas positivas. No han aprendido acerca de la expresión emocional saludable o cómo aceptar lo bueno con lo malo. Esto es particularmente cierto en el caso de los hombres. Desde la tierna infancia, a la mayoría de los niños se les enseña a negar el miedo, la tristeza y el dolor; se les dice que actúen como hombres (fuertes y en control) y nunca derramar una lágrima, verse incompetentes o actuar como un cobarde. Las niñas suelen recibir más apoyo para expresar emociones negativas como la tristeza y el miedo— pero solo hasta cierto punto. De esa manera, la mayoría de las personas crecen con censores internos que les indican cuáles sentimientos está bien expresar y cuáles no. Crecen creyendo que, si no pueden expresar sus emociones, entonces lo mejor es no experimentarlas en primer lugar. Por lo tanto, intentan negarlas; y si eso no funciona, las suprimen cada vez que surgen. Permíteme decirte: es más difícil usar tus sentimientos como indicadores cuando no se supone que los tengas en primer lugar.

Por lo tanto, si la cultura de hoy desaprueba de la expresión de emociones negativas, ¿qué razón tienes para darles espacio en tu vida? Pues, si no lo haces, tu negación y supresión puede causar serios problemas. El autor Stephen R. Covey escribió: «Los sentimientos no expresados nunca mueren. Están enterrados vivos y emergen más tarde en formas más feas». Esas formas más feas a menudo incluyen la depresión, la ansiedad, enfermedades físicas y adicciones (las cuales muchos usan para adormecer sus sentimientos). En el *Big Book*, el texto básico de Alcohólicos Anónimos, el cofundador Bill Wilson habla sobre los sentimientos enterrados que con frecuencia resultan en alcoholismo.[24] «El resentimiento es el agresor 'número uno'», declaró él.

La consejería y terapia con frecuencia ayudan a las personas a aprender cómo expresar emociones negativas de formas saludables. Aunque a muchos se les hace difícil superar su resistencia inicial a ese proceso, las recompensas son invaluables. He visto a personas deprimidas volver a la vida, llegando a ser más espontáneas y exuberantes. He visto a enfermedades desaparecer, condiciones de la piel aliviarse y problemas estomacales desaparecer. He visto gente que antes andaba deprimida dejar mi oficina con paso ligero, para comenzar a vivir la vida que debían vivir.

Todo eso está muy bien, puedes estar pensando, *pero la consejería es costosa.* Estoy de acuerdo; pocas personas pueden darse el lujo de acceder a la consejería debido al tiempo y dinero que requiere. Pero no necesariamente necesitas ayuda profesional en cómo aprender a dar a tus sentimientos un lugar apropiado en tu vida. Los positivos usualmente no son un problema; los negativos sí lo son. Hay varias técnicas que puedes usar para lidiar con las emociones negativas. Comienzan con reconocer que tienes sentimientos negativos que te dan miedo (o vergüenza) expresar y luego encontrar formas saludables de expresarlos. Lo siguiente es una lista de formas seguras con las que puedes lidiar con sentimientos incómodos:

1. Dales nombres.

Encuentra palabras que nombren los sentimientos que no quieres expresar. El Apéndice A contiene una lista de palabras emotivas. Si no puedes identificar lo que estás sintiendo, usa esa lista para encontrar una palabra que describa tu emoción. Cuando yo les preguntaba a los estudiantes qué estaban sintiendo, frecuentemente me respondían lo que estaban pensando: «Estoy sintiendo que no quiero que eso pase». Tu programación es profunda, por lo tanto, estos nombres necesitan ser deliberados. Sin mucho estímulo, esos mismos estudiantes identificaron emociones negativas por todos lados cuando finalmente sintieron la libertad de decir lo que estaban sintiendo desde el principio. A ese punto, no necesitaban una lista de palabras, porque una parte de ellos ya sabía lo que sentían. Por lo tanto, identifica tus sentimientos al darles nombres.

2. Déjalos solos.

A veces, basta con reconocer, nombrar y aceptar lo que estás sintiendo para que los sentimientos pasen a través de ti. La mayoría de las emociones tienen una vida muy corta; vienen y van rápidamente si tú simplemente los aceptas y los dejas ser. El proceso es similar al observar tus pensamientos: nota y nombra los sentimientos dentro de ti; deja que esté bien que hayan venido a visitarte. No discutas, te defiendas o trates de ahuyentarlos, y esa energía emocional frecuentemente se disipará sola.

3. Identifica las sensaciones físicas que los acompañan.

Permítete observar cómo los sentimientos se materializan en tu cuerpo, como un detective que está haciendo notas mentales de su experiencia física. Acepta lo que está pasando con los sentimientos en tu cuerpo en el momento presente. Yo experimento la tristeza como un dolor en la garganta, un cosquilleo en mi cara y cabeza, y una tensión en el pecho. Enfocarte en los sentimientos cuando los experimentas en tu cuerpo te ayuda a aceptarlos a un nivel fisiológico, y pone algo de distancia entre tú y ellos con un desapego saludable.

4. Exprésalos verbalmente a ti mismo.

Si observas y aceptas tus emociones y todavía no se van, trata de expresártelas a ti mismo: «Me siento triste de que mi amigo y yo ya no estamos cerca», o «Me siento enojado con fulano de tal porque llegó 20 minutos tarde para el almuerzo—otra vez».

5. Escribe acerca de ellos en un diario.

El escribir acerca de tus sentimientos en un diario puede ser depurador y terapéutico. Te da otra forma de expresar tus emociones. Esto también puede incluir el escribir una carta a alguien involucrado—la cual puede que quieras o no quieras compartir. Cuando yo estaba pasando por un divorcio, el escribir en mi diario se convirtió en mi gracia redentora.

6. Habla de ellos con alguien en quien confías.

Puede que te resulte útil expresar tus sentimientos negativos a un miembro neutral de la familia o un amigo en quien confíes. Ellos quizá quieran «arreglar» la situación y darte consejos sobre qué hacer para lograr que los sentimientos se vayan, por lo tanto, hazles saber que lo único que necesitas de ellos es que te escuchen.

7. Observa tus pensamientos.

A veces, me siento ansiosa o enojada sin razón aparente. Cuando eso pasa, adopto la función de observador y me enfoco en identificar los pensamientos que tenía justo antes de que esos sentimientos aparecieran. Repito mis pensamientos hasta que encuentro qué estaba pensando que causó el miedo o el enojo. Obtengo un momento ¡ajá! que me permite hacer algo para resolver los problemas de las situaciones que esos pensamientos representan.

8. Expresa tus sentimientos a través de la actividad física.

Mi forma favorita de lidiar con emociones incómodas es canalizarlas en mi actividad física. Las emociones desagradables se disipan a través de mis acciones, y logro hacer muchas cosas. Puesto que me encanta ser productiva, esta técnica tiene una recompensa incorporada. A veces, mi actividad física consiste en ejercitarme en el gimnasio, pero más frecuentemente, en hacer cosas en mi casa. Amigo, la energía de tus emociones quiere ser liberada, así que encuentra las mejores actividades físicas que te permitan hacer eso.

Aunque muchas personas *no expresan* sus emociones lo suficiente, hay algunas personas que *sobreexpresan* sus sentimientos. Sus emociones se desencadenan y reaccionan impulsivamente, a veces dañándose a sí mismos y a otros. Quizá se enojan o se disgustan y arremeten contra otros, ya sea verbal o físicamente. Estas personas deben aprender lecciones acerca de cómo retrasar sus reacciones y controlar sus impulsos. El entrenamiento en el manejo de la ira o aprender técnicas simples como hacer una respiración profunda y contar hacia atrás desde 100, frecuentemente puede cambiar estos patrones—con suficiente práctica. Aquellos que sobreexpresan sus emociones deben también aprender formas saludables de expresar la energía de sus sentimientos antes de que exploten.

Existen otras técnicas para lidiar con los sentimientos negativos. Si estás preocupado que quizá seas abrumado por tus emociones, acude a un profesional capacitado que pueda guiarte gentilmente a través del proceso.

Tus sentimientos, tanto positivos como negativos, proporcionan enseñanzas invaluables a medida que pasas por la escuela. Sin embargo, puedes pasar por alto sus instrucciones si estás ocupado tratando de mantener tus emociones negativas bajo control. Si embutes tus sentimientos porque no sabes cómo lidiar con ellos, o si sobreactúas y te generas remordimientos, ahora puede ser el momento de aprender algunas nuevas lecciones e invitar esos sentimientos a tu vida de formas saludables.

16. *Actividades*

Si no estás aceptando el obsequio de experimentar todas tus emociones, repasa la lista de formas seguras para lidiar con ellas y pruébalas. Y si necesitas más ayuda, busca la ayuda de un terapista profesional.

Tus adicciones

Hace años, volé de regreso a Arkansas para pasar la Navidad con mis padres. Durante mi visita, me reconecté con una amiga que me recomendó que fuera a Al-Anon, un programa de 12 pasos para amigos y familia de alcohólicos. Ella sabía que me había relacionado con un alcohólico y, aunque esa relación había terminado, pensó que yo todavía podría aprender mucho. Al final de nuestra conversación, ella dijo: «Te sugiero que vayas a siete reuniones en siete días».

Yo no creí que necesitaba ir a Al-Anon en absoluto, mucho menos a siete reuniones en una semana. Pero tenía un descanso de mi trabajo, por lo tanto, tomé su sugerencia. Me sentí un poco extraña en mis primeras reuniones, pero todos parecían tan sinceros en sus esfuerzos de mejorar sus situaciones. Estaban enfocados en mejorar ellos mismos, en lugar de tratar de cambiar a los alcohólicos en sus vidas, lo que tenía sentido. No tenía que hablar si no quería, pero todos convinieron en respetar la confidencialidad, por lo tanto, pronto me encontré compartiendo con un grupo de extraños acerca de mis propios problemas y sintiéndome sorpresivamente cómoda.

Una de las lecciones más grandes que aprendí de Al-Anon tenía que ver con desprenderme del comportamiento del alcohólico a la misma vez que todavía lo amara. El no reaccionar o no involucrarse en sus problemas puede llegar a ser una forma de mantener la relación y tu cordura. Sin embargo, el momento *ajá* llegó después de que había pasado cuatro horas esa semana escuchando a la gente hablar acerca de los alcohólicos en sus vidas y al darme cuenta de que lo que estaban describiendo hacía eco de mi propia situación. No tomaba, pero trabajaba como loca. Después de la cuarta reunión, me enfrenté cara a cara con el hecho de que era una adicta al trabajo. Ese entendimiento fue un golpe duro.

Sabía que trabajaba largas horas, pero pensé que era debido a mi fuerte ética de trabajo (un motivo de orgullo personal). Como las familias de los alcohólicos, la gente más cercana a mí a menudo se frustraba de que no tuviera tiempo para convivir con ellos. Yo no veía mis largas horas como un problema. Pero nunca había pensado en ellas como una adicción. A través de las reuniones de Al-Anon, mi patrón de trabajo insalubre se hizo aparente, y no podía negarlo o racionalizarlo.

De inmediato, me propuse aprender todo lo que pudiera acerca de la adicción al trabajo. Leer acerca de mi adicción me ayudó a obtener el manejo mental de ello. Aprendí que los trabajadores obsesivos frecuentemente tienen una baja autoestima, y adoptan un mantra que «si trabajo lo suficiente, valdré lo suficiente».[25] (La sociedad entra en el juego de ese mito al admirar, respetar y envidiar a la gente altamente productiva, especialmente aquellos que acumulan dinero y poder). También aprendí que los trabajadores compulsivos se aíslan de la intimidad.[26] No tienen que lidiar con emociones complicadas y desordenadas en su interior y en sus relaciones porque siempre están demasiado ocupados y distraídos por su ajetreo constante para tener el tiempo. Es una excusa aceptable para evitar estar demasiado involucrados y vulnerables. Yo siempre he tenido una sana autoestima, pero ya había pasado por un divorcio, por lo tanto, mi adicción al trabajo me ayudaba a evitar la intimidad con otros.

Finalmente, decidí que no quería vivir una vida que le impusiera límites a la intimidad, y no quería correr el riesgo de quedarme enganchada en las recompensas de los logros externos. Me quería sentir bien acerca de mí por cómo era, no por cuánto lograra hacer o cuántas cosas tenía. Los adictos son notorios por pensar que pueden lidiar con sus adicciones ellos solos; piensan que no necesitan ayuda. Sabía que necesitaba apoyo, pero no había reuniones de Trabajadores Compulsivos Anónimos a las que pudiera acudir. Por lo tanto, creé un programa para mí misma que incluía reducir mis horas de trabajo y decir «¡No!» a los pedidos adicionales.

Mi adicción al trabajo se convirtió en una maestra extraordinaria. Me ayudó a aprender lecciones cruciales que cambiaron el curso de mi vida. Todas las adicciones tienen este potencial. Ofrecen regalos que un adicto no puede desentrañar hasta que no siga los pasos que lo lleven a desenredarse de su control para así descubrir las joyas exquisitas que ocultan. El Universo sabía que era el momento para que yo aprendiera mis lecciones acerca de las adicciones. Terminé en trabajos que me permitieron trabajar en el área de abuso de sustancias. Trabajé estrechamente con los facilitadores del tratamiento y adictos. Pude ver los problemas desde todos los lados.

Las adicciones se tratan de relaciones—relaciones obsesivas-compulsivas con sustancias que alteran el estado de ánimo o actividades que tienen consecuencias cada vez más negativas. (Obsesivo significa que una persona no puede dejar de pensar acerca de ello; compulsivo se refiere a un comportamiento que no pueden dejar de tener). Al principio, la relación puede parecer que hace mejor las cosas: la persona tiene un sentido de bienestar o euforia similar a enamorarse. A medida que se desarrolla, sin embargo, necesita la sustancia o actividad para no sentirse mal. En las últimas etapas, llega a estar impotente, y la adicción controla lo que hace y cuándo lo hace. El propósito de las adicciones es mantener a la persona entumecida, desconectada de lo que sabe y siente.[27]

Entonces, ¿a qué puede llegar a ser adicta una persona? Puede llegar a ser adicta a las sustancias—especialmente el alcohol, drogas ilegales, medicamentos de prescripción y de venta libre, nicotina, cafeína y alimentos (incluyendo el azúcar). Pueden desarrollar adiciones a la gente, sexo, trabajo (estando ocupados todo el tiempo), dinero (ganándolo y gastándolo para «compararse con los vecinos»), los juegos de apuestas, dispositivos electrónicos, ejercicio o incluso drama o caos. Muchas de estas actividades adictivas crean cambios fisiológicos en el cuerpo similares a los cambios químicos que ocurren cuando se toman drogas. Observa a alguien que está enviando mensajes de texto, y frecuentemente lo verás sonriendo felizmente. Una persona puede hacerse adicta de su adrenalina, la cual se estimula al involucrarse en la actividad. He oído a los jugadores adictos hablar acerca del torrente de adrenalina que obtienen al tomar riesgos.

Una persona también puede llegar a ser adicta a las actividades internas, a procesos que ocurren dentro de ellos. Pueden desarrollar relaciones obsesivo-compulsivas con emociones tales como la furia, superioridad moral, arrogancia y miedo. También pueden llegar a ser adictos a sus pensamientos, tales como pensamientos de estar enamorados, de sentirse seguros, de tener dinero y status, y de complacer a la gente. Estos pensamientos se vuelven obsesivos; ellos los repasan en su mente una y otra vez.

Amigo, las adicciones pueden limitar gravemente tu progreso en la escuela de la vida. Entumecen tu cuerpo y sentimientos, distorsionan tus pensamientos y controlan tu comportamiento. Además, son engañosas. Se aferran a ti bajo la más inocente de las circunstancias y operan de forma sutil hasta que un día te das cuenta de que estás enganchado. Mi adicción al trabajo comenzó en la escuela de posgrado, pero yo nunca sospeché que era una adicción hasta que esa realidad se estrelló contra mi conciencia. Si no estás gestionando tus emociones negativas de formas saludables, eres vulnerable a desarrollar adicciones porque ellas entumecen el dolor y las emociones que no quieres sentir o que no sabes manejar.

Una persona también puede quedar atrapada en relaciones adictivas porque ansían los sentimientos iniciales de bienestar y éxtasis que proporcionan; desarrollan una adicción por el deseo del placer. Esta ansiedad llega a ser tan fuerte que continúan regresando a la adicción incluso cuando deja de brindarles satisfacción, a pesar de los resultados cada vez más negativos.

Las adicciones pueden llegar a ser insidiosas cuando ayudan a la persona a evitar el dolor y al mismo tiempo experimentar placer. Tanto evitar el dolor como desear placer son recompensas poderosas, lo cual es por lo que muchos recaen.

No obstante, aquellos que son serios en cuanto a su recuperación con frecuencia progresan rápidamente en la escuela de la vida. A veces pasan sus clases rápidamente porque descubren lo que yace oculto bajo sus adicciones y cuestiones de dominio propio. Y su honestidad, valentía y gratitud, los cuales resultan de un compromiso para sanarse, son poderosamente motivadores e inspiradores.

---

17. Actividades

A medida que te enfoques en tus maestros internos y practiques observar tu mundo interior, mantente atento a cualquier signo de adicción. Pregúntate:

1. *¿Soy adicto a cualquier sustancia (por ejemplo, alcohol o alimentos)? Si lo estás, obtén información sobre diferentes tratamientos y su efectividad.*
2. *¿Estoy haciendo cosas con consecuencias negativas de forma compulsiva (por ejemplo, trabajando demasiadas horas, gastando demasiado dinero o ignorando relaciones porque siempre estoy hablando por teléfono)?*
3. *¿Estoy enganchado en pensamientos o sentimientos (por ejemplo, pensamientos de sentirme seguro o ser rico, sentimientos de rabia o miedo)?*

Si sabes (o sospechas) que tienes una adicción, date las gracias por ser honesto. Admitir que tienes una adicción requiere valentía. Luego, decide lo que quieres hacer al respecto. Las adicciones generalmente empeoran con el tiempo, por lo tanto, considera solicitar ayuda profesional. Podrías comenzar asistiendo a una reunión de 12 pasos. Son gratuitas, y la mayoría de las ciudades tienen una variedad de reuniones y tiempos. Ve y solo observa si quieres. Podrías estarte inscribiendo en un nuevo salón de clase prometedor—o incluso con la capacidad de cambiar tu vida.

Tus sueños

¿Alguna vez has tenido un sueño que pareció importante, aunque no pudiste recordar partes de él? O ¿alguna vez has tenido el mismo sueño más de una vez? Sabías que contenía un mensaje, pero ¿no estuviste seguro de lo que era? Según los especialistas, sueñas cada noche; solo que algunas personas son mejores al recordar e interpretar sus sueños.[28] (No te desesperes, porque con un poco de práctica, puedes mejorar en ambos aspectos).

Años antes de que escribiera este libro, tuve un sueño acerca de él. En mi sueño, estaba revoloteando a 10 pies de distancia del punto medio de una enorme cascada de agua. Estaba hablando a un pequeño grupo de gente que iban cayendo por la cascada en una canoa; ellos también se habían detenido en plena caída. En mi sueño, les estaba dando instrucciones de cómo navegar mejor en su travesía presente. Después de agradecerme, terminaron de caer cuesta abajo, aterrizando de forma erguida en el río abajo para continuar sus viajes. Yo me fui por mi lado, feliz por saber que les había transmitido lo que había aprendido acerca de nuestra jornada común.

Después de recorrer cierta distancia, me di vuelta y miré hacia la cascada. La gente a la que había instruido había regresado y estaban haciendo lo mismo con el siguiente grupo de canoeros que estaba a punto de bajar la cascada. Sin embargo, ellos estaban yendo más allá de las instrucciones que yo les había dado, agregando lo que habían aprendido de sus propios viajes. Al principio, me sentí decepcionada de que los viajeros estuvieran cambiando las lecciones que tanto me habían costado aprender. Luego me di cuenta de que era exactamente lo que necesitaban hacer para que el entrenamiento que luego sería transmitido a los futuros viajeros fuera mejor. Y ahora que el libro está terminado, espero que tomes lo que he escrito y le sumes a su enseñanza, haciéndolo más útil para ti y alguien más con quien lo compartas.

Los sueños sirven como maestros en la escuela de la vida al darte información acerca del futuro. Debido a que vienen de tu subconsciente, te proporcionan información que normalmente no obtendrías de tus pensamientos y sentimientos conscientes. Tus sueños también pueden ayudarte a entender tus necesidades y deseos internos; pueden darte advertencias, ayudarte a resolver problemas y tomar decisiones, y confortarte después de una pérdida.

Puedes experimentar toda clase de sueños,[29] desde fantasías a pesadillas a sueños comunes[30] (por ejemplo, el sueño de estar desnudo en público, el sueño de volar, el sueño de caer y el de que alguien o algo te está persiguiendo). Y aunque algunos contienen información valiosa e importantes mensajes, otros tienen una función «administrativa»; te ayudan a integrar tus experiencias del día a día, pero no son particularmente significativos. Los sueños recurrentes generalmente llevan un significado más profundo y pueden ser una señal de que tu subconsciente está tratando de llamar tu atención, por lo tanto, presta especial atención a los sueños que tengas más de una sola vez. Por años, yo tuve un sueño recurrente en el que iba conduciendo mi carro y me quedaba sin frenos. Siempre despertaba antes de que chocara con algo, pero me asustaba. El sueño parecía ser una advertencia: no te apresures tanto en la vida hasta que no estés completamente preparada, porque podrías perder el control y chocar. La interpretación parecía acertada: necesitaba más tiempo de recuperación de mi adicción al trabajo antes de tomar más responsabilidades.

La información sobre cómo interpretar tus sueños está

fácilmente disponible en libros y en línea. Muchos de los recursos que leerás basarán sus interpretaciones de los temas y símbolos de los sueños en base a diferentes culturas o perspectivas teóricas como las nativas americanas, chamánicas y el psicoanálisis freudiano. Aunque sus interpretaciones pueden ser un buen punto de partida para entender tus sueños, no siempre son adecuados. Tú tienes tu propio origen étnico y conjunto único de experiencias de vida; por lo tanto, es frecuentemente más útil explorar la significancia personal de tus sueños, en lugar de confiar en la interpretación predeterminada de alguien más. Yo creo firmemente que tú eres la mejor persona para interpretar tus sueños. Tú sabes mejor que nadie lo que tiene sentido y se siente bien para ti.

Debido a que los sueños pueden proveer información que no está disponible a un nivel consciente, a veces les pido guía cuando estoy teniendo dificultades para tomar una decisión. Una vez tuve la oportunidad de postularme para una posición de directora asociada dentro de mi departamento, pero no estaba segura de si quería trabajar en el ámbito administrativo. Comencé por pedirle una señal al Universo, pero ninguna apareció—al menos ninguna que se registrara en mi conciencia. La fecha límite de la solicitud era para el siguiente día, por lo tanto, esa noche pedí dirección en un sueño. Todavía sin mensajes—y ni siquiera recordaba un solo sueño de esa noche. Fui a trabajar sin saber lo que se suponía que debía hacer. Alrededor de las 9:00 a.m., mi jefe me llamó a su oficina. Él quería que yo solicitara el puesto porque pensó que sería una buena opción para el trabajo. Ya tenía mi señal. Por lo tanto, amigo, incluso si no recuerdas tus sueños o generalmente no te parecen útiles, el Universo todavía encontrará una forma de darte la dirección que necesitas. Solo pon atención en tus clases y sé receptivo.

18. Actividades

Si tienes dificultad en **recordar** tus sueños, intenta lo siguiente:

1. Antes de ir a dormir, dite a ti mismo: Quiero recordar mis sueños esta noche.
2. Si despiertas en la noche y recuerdas por lo menos un fragmento de un sueño, escríbelo en una libreta que mantengas junto a tu cama. No uses un dispositivo electrónico; causan interrupciones aún más profundas en tus horas de sueño.
3. Cuando despiertes la siguiente mañana; quédate acostado y busca en tu mente algunas memorias de sueños de la noche anterior. Si te acuerdas de algo, escríbelo. La mayoría de las memorias de sueños son frágiles y de corta duración, e incluso el salir de la cama puede hacerlos desaparecer.
4. Si no tienes tiempo de escribirlo antes de comenzar tu día, repasa tu sueño varias veces en tu cabeza para ayudar a reforzar esa memoria, y luego escríbelo en la primera oportunidad que tengas.

Si quieres ser mejor en **interpretar** tus sueños, considera estas sugerencias:

1. Lee libros o artículos sobre la interpretación de sueños. Aunque los símbolos universales puedan no adaptarse, sí pueden ayudarte a explorar tu significado personal. También, busca información que te ayudará a realizar interpretaciones personales.
2. Mantén un diario de sueños. Escribe tus sueños y lo que creas que significan.

3. *Relata tus sueños a alguien en quien confíes. A veces, el hablar de ellos hace que el significado sea más claro.*
4. *Trabaja con un terapista que se especialice en sueños o únete a un grupo que trata de sueños.*

Si tienes un mal sueño ocasional que te deja nervioso y enervado, trata de imaginar un final diferente, uno que te deje sintiéndote más en control. Escribe el nuevo final o ensáyalo en tu mente para cambiar los sentimientos negativos. Por ejemplo, si alguien te estaba persiguiendo en tu sueño y no podías mover tus piernas, imagina un resultado en el que recibes fuerzas sobrenaturales y logras escaparte con facilidad. Sin embargo, si frecuentemente estás teniendo pesadillas perturbadoras o te despiertas aterrado, te sugiero encontrar a un terapista que pueda ayudarte a trabajar con esos sueños para resolver los problemas subyacentes que representan.

Capítulo 6

La intuición, el maestro supremo

Aprovechar la sabiduría de tus instintos naturales

¿Has sabido alguna vez quién te estaba llamando antes de ver el número o contestar el teléfono? ¿Has tenido alguna vez un presentimiento de que algo está a punto de pasar—y pasó? ¿Ha habido momentos en tu vida en que oíste a una pequeña voz dentro de ti diciéndote que hicieras algo, pero ignoraste esa voz solo para lamentarlo más tarde? Estos son ejemplos comunes de cómo funciona la intuición. Puede que reconozcas estas experiencias solo de forma superficial, pero ellas validan la asombrosa sabiduría de este instinto natural. Tienes una guía interna, un ser sabio que está esperando por tu permiso para jugar un rol más grande en tu vida. Es la parte de ti que ya sabe lo que necesitas saber, la parte que ya aprendió las lecciones que viniste aquí a aprender. Seguir esta dirección te hace avanzar por tus clases metafóricas más rápido y fácilmente. ¿Cómo saben los pájaros cuándo y dónde migrar? ¿Qué es lo que hace a una bellota crecer en un árbol de roble? ¿Por qué las madres animales instintivamente protegen a sus bebés? Has sido equipado con esa misma sabiduría instintiva, esa misma inteligencia innata. Es tu conexión a tu alma, la cual está conectada a la divina inteligencia del Universo. Y la gran noticia es que puedes aprender cómo agudizar tus habilidades al mantenerte en contacto con este recurso invaluable. Puesto que la intuición es como un músculo, se hace más fuerte cuanto más la usas.

Albert Einstein dijo: «La cosa realmente invaluable es la intuición». Las diferentes culturas valoran la intuición a varios grados, pero en los Estados Unidos, frecuentemente no es respetada a pesar de proporcionar una fuente inagotable de sabiduría. En su lugar, los estadounidenses tienden a admirar e imitar gente que parece lógica y no emocional. Gavin de Becker, autor de *The Gift of Fear* (El valor del miedo), va más allá al decir: «Los estadounidenses rinden culto a la lógica, aunque esté equivocada, y niegan la intuición, aunque sea correcta».[31] Pero la cuestión fundamental es que necesitas tu aptitud de pensamiento lógico y crítico *y también* necesitas tu intuición. Debido a que la lógica y habilidades de razonamiento frecuentemente vienen de tu experiencia, todas las tres—lógica, experiencia e intuición—juegan roles críticos para ayudarte a llegar a ser lo mejor que puedas ser.

Por lo tanto, ¿qué es exactamente la intuición? Es una corazonada, una sensación visceral, un instinto o un sexto sentido; es esa «vocecita serena» en tu interior. La intuición es cuando sabes algo, pero no sabes cómo lo sabes; no hay una explicación lógica que aclare incluso cómo *pudieras* saberlo. Es cuando el conocimiento—el cual siempre es correcto—surge en tu conciencia sin ningún esfuerzo consciente o deliberado de tu parte. Frances E. Vaughan, la autora de *Awakening Intuition* (Despertar la intuición), lo explica de esta forma: «Si una percepción aparentemente intuitiva resulta ser errónea, no surgió de la intuición, sino del autoengaño o de la ilusión».[32]

¿Cómo diferenciar entre la intuición y lo que tú *piensas* que es intuición (por ejemplo, impulsividad, ilusiones, autoengaño o una mala suposición)? Al seguir practicando. Dije esto anteriormente: la intuición es como un músculo—cuanto más lo usas, más fuerte se hace. Por lo tanto, practica usar tu intuición, especialmente en situaciones que no sean de alto riesgo, hasta que aprendas a distinguir entre las dos.

¿De qué forma es útil la intuición?

Leí una historia interesante acerca de Paul McCartney, uno de los cantantes de los Beatles. Un fragmento de una canción le llegó a él por medio de un sueño.[33] Sonaba tan diferente a sus propias canciones que pensó que debió haberla oído en algún otro lugar. Le preguntó a algunas personas a su alrededor si alguna vez habían escuchado la melodía. Nadie la había oído, por lo tanto, escribió una canción en torno a ella—y la tituló «Yesterday».

En el caso del Sr. McCartney, la intuición habló a través de un sueño como parte del proceso creativo (presentando algo que todavía no existía). Los músicos, pintores, bailarines y escritores todos se aventuran hacia nuevos territorios para crear resultados únicos en su expresión artística. La intuición también desempeña un papel importante cuando los empresarios exitosos encuentran formas creativas de promocionar y brindar sus servicios. Y la gente que está teniendo problemas con el manejo del tiempo puede recibir instrucciones de su intuición sobre cómo ser creativo para lograr hacer todo lo necesario.

Algunas veces tu intuición juega el papel de un detective privado trabajando para encontrar respuestas a tus preguntas.[34] Y en esa función, también produce sentimientos vagos acerca de eventos triviales en tu vida diaria. Por ejemplo, yo a menudo obtengo pistas de mi intuición acerca de dónde comprar; y cuando sigo esas instrucciones, siempre encuentro lo que estoy buscando, o encuentro algo más que necesito comprar.

Además, tu intuición sirve como un sistema de alarma incorporado para protegerte del peligro. Es aquel sentimiento «feo» por el cual les enseñas tus hijos que deben estar atentos cuando alguien haga algo inapropiado. O el sentir de que «algo no está bien» cuando entrevistas a una persona para un puesto de niñera, advirtiéndote que esta persona no cuidaría bien a tus hijos. Tu intuición es el pánico que llega cuando estás a punto de ponerte en peligro. (Las madres frecuentemente desarrollan un «sexto sentido» con respecto a sus hijos; saben cosas acerca de ellos que no pueden explicarse de forma racional, como cuando sus hijos las necesitan o están en algún tipo de peligro). En su libro *Life Code* (Código de vida), el Dr. Phil McGraw pide a sus lectores que hagan uso de sus «instintos» u «olfato» para acceder a información vital acerca de la gente en sus vidas que pudiera hacerles daño.[35]

Las personas en las profesiones de ayuda (en los campos de salud mental o médica), con frecuencia experimentan formas no verbales e intuitivas de interactuar con sus clientes y pacientes. Como consejera, las experiencias *déjà vu* me dicen que acabo de pasar a un mundo interno de sabiduría. Y, muchos dueños de mascotas desarrollan conexiones intuitivas con ellas, casi como si se hablaran el uno al otro sin palabras.

Gran parte de la vida es impredecible. Te ves obligado a asumir riesgos y tomar decisiones; tienes que tomar decisiones acerca del futuro sin tener todos los hechos. Según el autor Philip Goldberg: «Jugamos juegos de adivinanzas con la vida. Aquellos que adivinan bien se les llama intuitivos; aquellos que son intuitivos, sin embargo, no piensan que están adivinando».[36]

La gente altamente exitosa suele tener una habilidad bien perfeccionada para explotar su guía interna. Oprah Winfrey le atribuye a la intuición todas sus más grandes decisiones en relación a su éxito.[37] Ella declara: «Tomo toda la información que pueda reunir. Escucho propuestas, ideas y consejos. Luego, voy con mi intuición, lo que mi corazón sienta más fuertemente».

¿Cómo se comunica tu intuición?

Todos somos intuitivos; a todos se nos ha dado ese don. Algunos lo ven como algo valioso y fácilmente accesible. Algunos nunca lo encuentran, y permanece dormido a lo largo de sus vidas. Otros ocasionalmente usan su intuición— pero no están conscientes de que la están usando, o no la llaman intuición. Las diferencias de género en las formas que hombres y mujeres describen las experiencias intuitivas frecuentemente refuerzan un estereotipo de que las mujeres son más intuitivas que los hombres. Las mujeres suelen hablar acerca de sus intuiciones y emociones; con frecuencia, tienen conexiones intuitivas en relaciones interpersonales y perciben un sentimiento inexplicable cuando algo está o no está bien. Los hombres tienen más la tendencia de referirse a «corazonadas»; frecuentemente, usan su intuición en algún aspecto de su trabajo que ellos no pueden explicar de forma lógica.

Puede que te hayan enseñado desde una temprana edad a no escuchar a tu intuición, no confiar en los mensajes que te daba. Puede que te hayan enseñado a silenciar tu espontaneidad y creatividad, y a ser racional. Para el momento en que estabas en la escuela primaria, puede que hayas aprendido que lo que parecía como una verdad interna ahora era algo para ser ignorado, o tal vez hasta temido. Sin importar de dónde puedas estar comenzando hoy, la gran noticia es que, mediante la práctica, puedes fortalecer la voz de tu intuición y comenzar a seguir su consejo más seguido.

¿Sabes cómo te habla tu intuición? ¿Sabes cómo te enseña? Hay varias formas en las que puede hablarte.[38]

1. Físicamente.

La intuición a veces se comunica a través de tu cuerpo a nivel físico. Por ejemplo, puedes «percibir» peligro a través de los cambios fisiológicos y sensaciones que te dicen que abandones una situación o lugar inmediatamente: la corriente de adrenalina, la sensación de sentirse atrapado o una urgencia irracional de huir. Puede hablar a través de corazonadas, escalofríos en la espina dorsal, piel de gallina o lágrimas en tus ojos.

También te puede dar guía intuitiva acerca de cuidar tu cuerpo a través de varios dolores y molestias: la tensión muscular y los dolores de cabeza pueden ser mensajes intuitivos diciéndote que necesitas reducir tu estrés. Y la intuición puede usar tu cuerpo para enseñarte lecciones que son más simbólicas que literales. En una ocasión, tuve problemas con mis rodillas, lo cual es raro para mí. Finalmente, descifré que necesitaba aprender una lección acerca de la humildad y mi intuición estaba mostrándome que necesitaba «arrodillarme».

Me dan escalofríos en los brazos y lloro cuando oigo algo que es profundo y genuino, como si mi intuición me estuviera diciendo: «Acabas de oír algo importante». A veces habla a través de un «sentimiento sólido» único en la médula de mi cuerpo, como cuando entendí lo que los cuervos estaban tratando de decirme. Si necesito abordar algo en mi vida que no está resuelto, siento esta tensión nebulosa a través de mi cuerpo, a diferencia de otro tipo de tensión que experimento. Y cuando tengo esa explosión de energía después de tomar una decisión, sé que es la forma que tiene mi intuición de decirme que estoy en el camino correcto.

2. Emocionalmente.

De hecho, puedes llegar a estar más consciente de tu intuición a través de tus sentimientos. Sientes una «vibra» de alguien más, un agrado o desagrado inexplicable. O bien, una vaga sensación de que deberías (o no deberías) estar haciendo algo. Tu intuición puede usar cualquiera de tus emociones para transmitir sus mensajes. Por ejemplo, sentimientos positivos como la felicidad y el alivio después de haber tomado una gran decisión pueden servir como confirmación de que hiciste la elección correcta; o sentimientos negativos como la duda y el arrepentimiento pueden señalar que puede que desees reconsiderar tu decisión.

3. Mentalmente.

Tu intuición puede comunicarse contigo mentalmente o en tus pensamientos. Hay dos formas de comunicación mental que utiliza: visual y auditiva. Los mensajes **visuales** consisten en diferentes imágenes—visiones internas—que pueden ser literales o simbólicas. Las imágenes literales pueden tomar la forma de números reales o palabras que «ves» en tu mente. Algunas personas ven sus pensamientos como si fueran oraciones escritas en su cerebro. Muchos músicos reportan que ven notas musicales reales durante su proceso creativo y lo único que hacen es anotarlas. Una visión simbólica podría ser una madre que ve una imagen de un círculo, lo cual para ella significa que necesita cerrar el círculo de su familia conflictiva. Tu intuición frecuentemente habla a través de tus sueños, donde puedes «ver» historias completas desarrollarse.

Los mensajes **auditivos** vienen de esa voz silenciosa dentro. La mayoría del tiempo, tienes un diálogo interno en tu cabeza. Puedes experimentar esta conversación como pensamientos al azar y no estar consciente de ningún tema. Sin embargo, a veces tu intuición se presenta como una voz interna diciéndote que te acerques a un miembro de tu familia que necesita ayuda— aunque no estés consciente de que te necesite. O puede decirte que termines un proyecto antes de la fecha límite, solo para descubrir después de que había una razón por la que debía completarse a tiempo.

A veces, los pensamientos persistentes, aquellos que simplemente no te dejan tranquilo, pueden ser tu intuición persistentemente intentando llamar tu atención. La preocupación excesiva también puede ser tu intuición hablando a través de tus pensamientos y diciéndote que abordes lo que esté pasando. Y a veces, la confusión mental es la forma que tiene tu intuición de hacer que bajes el ritmo y no actúes en algo de inmediato.

Las personas que tienen problemas mentales a veces «oyen voces» que asustan y causa paranoia. Estas voces se describen, generalmente, como voces externas; provienen de algún lugar en el ambiente (por ejemplo, un televisor) y no están ligadas a la realidad. Eso no es de lo que estoy hablando aquí. Las voces intuitivas son aquellas que provienen desde tu *interior*. Te proporcionan mensajes valiosos basados en la realidad acerca de eventos de la vida real; te proveen dirección e instrucción.

---

19. *Actividades*

Détente y hazte las siguientes preguntas:

1. *¿Qué animal sería si yo fuera un animal?*[39] *(No pienses tanto en tu respuesta. Procede con la primera cosa que te venga a la mente. Si no estás seguro, adivina).*
2. *¿Cómo supe qué animal sería? (¿Fue tu respuesta algo que experimentaste en tu cuerpo, como una sensación visceral? ¿Fue una emoción o un*

sentimiento vago? O ¿fue una imagen mental—una imagen que viste en tu imaginación o un nombre que te oíste a ti mismo decir en tus pensamientos?)

3. *¿Qué estación del año sería si fuera una estación y por qué?*
4. *¿Qué alimento sería si fuera un alimento y por qué?*
5. *¿Qué tipo de vehículo sería si fuera un vehículo y por qué?*

Revisa tus respuestas. Escribe <u>cómo</u> supiste las respuestas a estas preguntas. ¿Fueron reacciones físicas o emocionales? ¿Recibiste mensajes mentales a través de algo que viste u oíste en tu cabeza?

Debido a que no tienes ninguna memoria de ser un animal, una estación, alimento o vehículo, esta simple actividad te ayuda a pasar de tu mente racional y hacia la parte más creativa de tu pensamiento.

---

20. Actividades

Piensa en un momento en que usaste tu intuición. Identifica una experiencia intuitiva. (Si no estás seguro, adivina). Quizá fue una experiencia con alguien cerca de ti o con algo en el trabajo. Tal vez fue cuando encontraste una solución creativa a un problema o creaste una pieza de arte. Probablemente, fue algo como una experiencia de un déjà vu fugaz o un sueño con significado especial. Luego, pregúntate:

1. *¿Cómo supe que mi intuición me estaba hablando?*

> *¿Fue algo que experimenté en mi cuerpo, como una corazonada, piel de gallina o lágrimas? ¿Fue una emoción? ¿Un sentimiento? O ¿fue una imagen mental—una imagen visual que vi en mi cabeza o algo que oí que surgía desde mi interior?*
>
> 2. *¿Hubo otros momentos cuando mi intuición trató de llamar mi atención?*

Después de que identifiques las formas en que tu intuición se ha comunicado contigo, está atento para aquellos mismos métodos de comunicación en el futuro. Cuanto más uses tu intuición—y cuanto más consciente estés de que la estás usando—más fuerte y confiable se hará.

Una lección sobre escuchar

Escribir el primer borrador de este libro fue una experiencia absolutamente eufórica. Pasó rápidamente y pareció casi sin esfuerzo; me enamoré de la escritura. Sin embargo, cuando exploré las posibilidades de poder publicarlo, un agente, un editor y varios maestros de escritura me dijeron lo mismo: «Si quieres que este sea un libro de texto, ya está listo. Pero si lo quieres situar en el mercado popular, necesita ser reescrito». Una persona incluso dijo: «Has escrito tanto material académico que ahora estás en desventaja».

Me encanta ser una estudiante, por lo tanto, me sumergí e investigué todo acerca de la escritura: fui a conferencias, leí libros y me inscribí en clases. Aprendí bastante acerca de escribir, pero nada me ayudó cuando intenté escribir. Estaba estancada; me sentí intimidada por mi incompetencia y la magnitud del proyecto frente a mí.

Seguí yendo a clases de escritura, y seguí obteniendo malas

opiniones. Finalmente, una de mis maestras de escritura reescribió mi trabajo ella misma para mostrarme como revisarlo—y ni con eso lo entendía. Por lo tanto, me dije a mí misma: «Necesito dejar esto por ahora. Nada está funcionando. Ahora no es el momento».

Esperé hasta retirarme de mi empleo para revivir mis intentos para mejorar mis habilidades. Me uní a un grupo de críticas y solo escribí ensayos personales. Tenía miedo de reescribir el libro por temor de que me impulsara de nuevo hacia la escritura académica. Afortunadamente, encontré mi nueva voz de escritora a través de esos ensayos cortos—la voz de enseñanza que había usado por años en las clases universitarias.

Después de haber estado en el grupo de críticas por unos tres meses, decidí intentar reescribir algunos pasajes de libros con mi voz recientemente descubierta. Prometí llevar mi trabajo, por lo tanto, tenía una fecha límite firme para cumplir. Sin embargo, varios días antes de que se suponía que leería lo que había escrito al grupo, me sentí estancada, no se me ocurría ninguna idea para escribir. Y sabía que no me ayudaría ir a otra conferencia o leer otro libro o consultar a mi maestra de escritura.

El pánico me atrapó. Necesitaba escribir para cumplir con la fecha límite, pero mi mente estaba en blanco. Nunca había tenido problemas con el bloqueo de escritor, por lo tanto, esta era una experiencia nueva para mí. Mi corazón latía más rápido, y mis pensamientos trataban frenéticamente de apegarse a cualquier cosa que me ayudara a producir algo para leer al grupo. Tomé un libro favorito, *The Road Less Traveled* (El camino menos transitado) por M. Scott Peck y traté de imitar su estilo de escritura, pero mi ansiedad se hizo peor. Justo cuando pensé que explotaría, mi intuición me dijo con una voz firme y tranquila: «Tu libro no quiere ser escrito de esa forma». El pensamiento me volvió más serio, y me di cuenta de que la única forma de escribir el libro para mí era escribir el libro. Tenía que empezar a escribir—aun si lo que escribiera fuera malo—para encontrar mi camino hacia el otro lado. Y eso fue lo que hice.

Experiencias como estas me hacen valorar más aún mi intuición. Estoy tan agradecida de tener una brújula interior que me dirige en la dirección correcta cuando me desvío del camino. Para mí, esa guía no tiene precio.

Amigo, aunque no puedes obligar a tu intuición a que te hable, sí puedes invitarla a tu vida. Y hay algunas cosas que puedes hacer para fortalecer tus habilidades intuitivas:

1. Puedes escuchar.

Puede que hayas pasado la mayor parte de tu vida ignorando los mensajes de tu guía interna, por lo tanto, tu desafío es desarrollar la voluntad de poner atención a todas las formas de comunicación. A veces, los mensajes serán fuertes y claros; otras veces, serán apagados e inciertos. Pueden ser destellos breves en tu mente o pueden ser imágenes que aparecen y luego desaparecen, dejándote con la duda de si viste lo que pensaste que viste. Estas formas de comunicación requieren una conciencia incrementada; tienes que estar atento—en cualquier lugar y en cualquier momento.

El aprender a distinguir mensajes intuitivos de todo el otro parloteo en tu mundo interior es otra parte de escuchar. ¿Es ese anhelo una urgencia intuitiva de cuidar tu cuerpo, o es un síntoma de ansiedad o aburrimiento que necesita abordarse de alguna otra manera? ¿De inmediato tomaste antipatía a esa persona debido a alguna sabiduría intuitiva, o inconscientemente te recordó a alguien más que no te gusta, lo que es completamente una cuestión separada? Estas distinciones pueden ser difíciles de hacer; descifrarlas requiere práctica y mayor autoconciencia. Cuanto mejor te conozcas, más fácil será descifrar cuáles son las voces interiores que estás escuchando. Tus impulsos, deseos y temores conscientes y subconscientes quizá sean más propensos a guiarte hacia las ilusiones y malas conjeturas.

Otro aspecto de escuchar tiene que ver con recibir e interpretar correctamente los mensajes simbólicos. Tu intuición frecuentemente habla a través de metáforas, las cuales necesitan interpretarse. (Esto también aplica a los sueños). Debido a que cada ser es único, las metáforas y los símbolos pueden tener diferentes significados para ti que para alguien más. Si te viene una imagen de ti mismo como un animal—digamos que una nutria—esa metáfora puede significar algo diferente para ti que para alguien más. Una buena regla general es decantarte por tu primera suposición en cuanto al significado del símbolo.

Y los estudios demuestran que en tu profesión, además de tu experiencia, la intuición puede y de hecho juega un papel mayor en ayudarte a desempeñarte al máximo.[40] Puede que no lo identifiques como un recurso que estás usando, pero seguido está allí. Ha habido muchas veces en mi carrera de consejería donde mi intuición me guio a la técnica apropiada o a decir lo correcto.

2. Puedes confiar.

El aprender a confiar en tus instintos se hace difícil debido a todos los mensajes que has recibido en el pasado acerca de cómo no deberías confiar en tu intuición, de cómo deberías confiar solamente en lo que es racional y explicable. Para contrarrestar esto, comienza por experimentar en situaciones que tengan poco o nulo riesgo involucrado. Por ejemplo, practica hacer predicciones: (1) adivina qué color de ropa usará un compañero de trabajo para el día de mañana, (2) haz un estimado de tu cuenta total cuando estés en la línea de pago en la tienda, (3) predice la posibilidad de lluvia en una ciudad donde no tengas idea de cuál sea el pronóstico. Luego, verifica tus predicciones para saber si son ciertas. Esta es una gran manera de notar las diferencias entre tus mensajes intuitivos que son exactos y los que no lo son.

El desarrollar confianza incluye darte cuenta cómo tu intuición ha estado allí en el pasado y que siempre ha tenido la razón. Piensa en los momentos en que te ayudó. Reconoce sus obsequios anteriores. La confianza crecerá a medida que ganes más experiencia con tu intuición y experimentes de primera mano la valiosa riqueza que contiene.

3. Puedes actuar.

El paso final para incrementar tus habilidades intuitivas es actuar sobre las instrucciones y guía que ellas proporcionan. Puede que te des cuenta de que ya estás siguiendo muchas de tus pistas intuitivas, pero en este último paso, haces eso más deliberadamente. Cabe destacar que cuando te estás acostumbrando a actuar sobre tu intuición, a veces consultar tu corazonada no es suficiente, particularmente en situaciones de alto riesgo. Es siempre una buena idea reunir toda la información analítica que puedas encontrar y presentársela a gente de confianza. Luego, observa qué pasa cuando sigues—o no sigues—tu intuición.

Por lo tanto, ¿qué pasa cuando no sigues tus instrucciones intuitivas? Internamente, puede que experimentes sentimientos de decepción y separación de ti mismo. Puede que sientas que traicionaste alguna verdad interior. Externamente, te sentirás atascado con frecuencia y querrás que las cosas sean diferentes. Lamentarás haber hecho lo incorrecto. A veces, existe una demora en obtener una respuesta interna o externa; por lo tanto, continúa estando abierto a los aportes. Un estudiante con quien trabajé lo puso de esta forma: «Aprendí a confiar en mi intuición de la manera más dura. Me he dado cuenta tantas veces de que tiene razón, que ahora no me atrevería a no hacer lo que dice». Cuando ando de compras y encuentro algo que me gusta, pero no sé si debería comprarlo—siempre lo hago; siempre puedo devolverlo si cambio de opinión. Pero no puedo regresar a hacer esa compra si el objeto que quiero ya se vendió o ya no está disponible en el tamaño o color que necesito. Lo considero como si el Universo me estuviera dando su opinión inmediata: «Confía en tu primera impresión—y actúa sobre ella».

¿Qué pasa cuando le permites a tu intuición que guíe tus decisiones y acciones? A menudo obtendrás un incremento en los niveles de energía—la forma de tu cuerpo de decir: «Sí, hiciste lo correcto». A veces hay una sensación de paz o contentamiento. Un destello de revelación frecuentemente es seguido por un sentido de «rectitud» y un sentimiento de estar conectado. Incluso cuando tu intuición te diga algo que no quieres oír, hay una conexión emocional cuando sabes la verdad, y sabes que la sabes. Externamente, puedes notar que se abren las puertas y las circunstancias van bien, y encuentras apoyo para la dirección que elijas. Las cosas fluyen naturalmente, como si entraras en una corriente que te estaba esperando. E incluso si tu elección involucra trabajo duro y largas horas, si tu intuición te guio hacia ese camino, aun así, se sentirá bien. En la película *Field of Dreams* (*Campo de sueños*), la línea: «Si lo construyes, él vendrá», fue un mensaje ilógico pero intuitivo para construir un diamante de béisbol en medio de un campo de maíz. La magia ocurrió porque se siguieron esas instrucciones intuitivas.

La intuición es el maestro supremo. Usa a tus maestros interiores y exteriores para brindar mensajes e instrucciones. Por lo tanto, desarrollar una conciencia en todos los aspectos de tus mundos interno y externo te proporcionará un caudal de información para ayudarte a progresar a través de la escuela de la vida. Si usas tu intuición, siempre aprenderás lecciones de tus otros maestros que son verdaderas, que están en consonancia con el flujo divino, y que son para el bien superior de toda tu vida. Aprenderás a través de tus pensamientos, percepciones y tu propio saber intuitivo—es por eso que tus consultas de corazonadas son tan importantes. Y estarás atraído a la gente, lugares y experiencias que mejor puedan ayudarte a aprender.

Tal como lo dijo Ralph Waldo Emerson: «Yacemos en el regazo de una inmensa inteligencia, lo que nos hace recipientes de su verdad y órganos de su actividad». Uno de los más grandes privilegios—y desafíos—en la escuela de la vida es aprender a usar el poder ilimitado y potencial que se te ha dado. El Universo siempre te proporciona los maestros que necesitas para tomar tus siguientes pasos. Es tu responsabilidad reconocer, aceptar y actuar sobre sus instrucciones y verdad.

---

21. Actividades

Prueba estas sugerencias para fortalecer tu intuición:

1. *Incrementa tu conciencia.*

Puede que tu intuición ya te esté dando instrucciones y

señales que no estás notando. Por ejemplo, algunas enfermedades, lesiones y condiciones médicas son mensajes intuitivos. Si tienes problemas del cuello, ¿hay alguien o algo que sea un «dolor del cuello» en tu vida? ¿Has tenido un sentir vago pero persistente de que hay algo que necesitas hacer pero que todavía no has hecho? Explora eso. Podría evitar que recibas una llamada de atención, o podría llevarte a una bonanza inesperada.

2. *Identifica cómo se comunica tu intuición.*

- *¿Es con mensajes físicos, como una sensación rara en tu estómago?*
- *¿Es con mensajes emocionales, como un sentimiento de que algo es correcto o incorrecto?*
- *¿Es con mensajes mentales, como imágenes visuales que se parecen a un pensamiento o información auditiva que suena como una voz?*
- *¿Es con una combinación de las tres?*

3. *Mejora tus posibilidades.*

No puedes hacer que ocurra la intuición, pero puedes incrementar las posibilidades de que aparezca en tu vida. Puedes plantar un campo fértil para que esas semillas de intuición florezcan y crezcan.

- *La relajación.*

Sé consciente de tu nivel general de tensión a través del día. Tu intuición tiene dificultad en salir adelante si estás tenso y nervioso. Aprende técnicas de relajación si lo necesitas.

- *Concentración.*

Aprende cómo aquietar tu mente. La meditación es la mejor forma de hacer esto.

- *Receptividad.*

  Sé abierto a los mensajes intuitivos. Dales la bienvenida en tu vida, incluso cuando te den información que no quieras oír. Siempre agradece a tu intuición después de que comparta su sabiduría.[41]

4. *Practica.*

- *Haz predicciones.*
- *Mantén un diario de tus experiencias intuitivas.*
- *Pide a tu intuición que te diga cómo desarrollar tus habilidades intuitivas. (Ora por guía intuitiva si eres el tipo de persona que hace oración).*
- *Practica interpretar tus mensajes intuitivos, teniendo en mente que la interpretación exacta puede ser literal o simbólica.*

5. *Usa la visualización guiada.*

Graba el ejercicio de visualización en el Apéndice B y úsalo para obtener acceso directo a tu intuición. Puedes seguir usándola una y otra vez para responder muchas preguntas. Aclara la pregunta en tu mente antes de que empieces y solo haz una pregunta cada vez.

6. *Investiga, lee, explora.*

- *Haz búsquedas en línea para más información.*
- *Lee este capítulo otra vez.*

- *Lee otros libros o recursos sobre la intuición, relajación, concentración y meditación.*
- *Ve a una librería y pídele a tu intuición que te guíe a los libros que necesitas; sé abierto a lo que sea que pase. Deja que tu exploración se convierta en una aventura intuitiva.*

Capítulo 7

Una guía práctica del aprendizaje

Aplicar una guía de aprendizaje, paso por paso

Si te mantienes abierto a las instrucciones que el Universo provee, tanto de tus maestros externos como internos, tendrás una vida llena de maravillas, crecimiento, gozo y desafíos. Enfocarte en ser un buen estudiante en la escuela de la vida significa que tienes más posibilidad de encontrarte con obstáculos. Estás creciendo, por lo tanto, encontrar obstáculos en el camino es algo bueno. Demuestra que estás inmerso en la jornada y no observando desde afuera. Sin embargo, quedarte estancado puede detener tu impulso y robar tu confianza. Necesitas tener un grupo de herramientas que puedes usar cuando te sientas desviado del camino, para que no permanezcas varado por mucho tiempo. El entender los pasos del proceso de aprendizaje es una de esas herramientas.

Un modelo para el aprendizaje

Años atrás, el psicólogo Noel Burch desarrolló el Modelo de Aprendizaje de Competencia Consciente para describir las cuatro etapas que alguien atraviesa para aprender algo nuevo.[42] Estas etapas llevan a la persona de un lugar de no saber nada a uno en el que llega a ser un experto. Por lo tanto, amigo, así es cómo pasas de la incompetencia a la competencia:

Etapa 1. La incompetencia inconsciente.

En esta etapa de aprendizaje, no eres consciente de que no tienes una habilidad, o de que necesitas aprender una. Tienes puntos ciegos en lo que piensas que eres bueno, por lo tanto, no eres consciente de todo lo que no has dominado. Por ejemplo, cuando eras chiquito, no sabías que no sabías cómo andar en bicicleta. Por lo tanto, la Etapa 1 es donde *no sabes que no sabes.*

Etapa 2. La incompetencia consciente.

En esta etapa del aprendizaje, estás consciente de que no sabes cómo hacer algo. Te das cuenta de que eres incompetente—tus errores señalan tus incapacidades o la habilidad es algo que nunca has tratado de aprender. Y aunque esa incompetencia se sienta incómoda, a menudo crea el deseo de aprender una nueva habilidad. Por ejemplo, tu ser más joven probablemente vio a tus amigos andar en bicicleta y tú también querías aprender. Por lo tanto, la Etapa 2 es donde *sabes que no sabes.*

La Etapa 3. La competencia consciente.

En esta etapa del aprendizaje, sabes cómo hacer algo nuevo. Desarrollas una nueva habilidad, pero ejecutarla requiere práctica y concentración—lo que significa que puede que no lo hagas muy bien o muy rápido todavía. Sin embargo, tienes un sentido de logro porque estás dominando algo nuevo. Te amplías, creces y triunfas. La Etapa 3 es donde *sabes que tú sabes.*

La Etapa 4. La competencia inconsciente.

En esta etapa de aprendizaje, dominas la nueva habilidad—la cual puedes ahora ejecutar de forma eficiente y rápida. Hoy, ni siquiera tienes que pensar acerca de andar en bicicleta, porque se ha convertido en una actividad que llevas a cabo sin una percepción consciente. Y una vez que has dominado una nueva habilidad, tienes la libertad de enfocar tu energía en aprender otras cosas. Has pasado la clase en esa nueva habilidad, y ahora estás listo para inscribirte en otras clases.

Por lo tanto, la Etapa 4 es dónde *tú sabes tan bien esa capacidad que se vuelve inconsciente.*

Estas cuatro etapas de aprendizaje se repiten a través de toda tu vida. Vas de la ignorancia a la maestría muchas veces en la medida en que progresas. Puesto que tu escuela ofrece un número infinito de temas a estudiar, nunca te quedarás sin clases que tomar o competencias que desarrollar; tu potencial para el aprendizaje es ilimitado. Por lo tanto, usa el discernimiento; selecciona las clases que te enseñarán las habilidades que necesitas para cumplir con tu misión.

Después de que me retiré de mi carrera en la universidad, me propuse una meta de estar en buen estado físico—y mantenerme así. Debido a que tenía problemas con ser consistente, supe que necesitaba encontrar ejercicios que fueran convenientes, desafiantes y divertidos. Por lo tanto, probé varias clases de ejercicio para ver cuáles me gustaban. (La mayoría de los gimnasios ofrecen periodos de prueba introductorios gratis). Yo elegí dos: Pilates, porque fortalecía mi zona abdominal; y Power Sculpt, una clase de ejercicio que estaba enfocada en repeticiones con pesas ligeras y música animada. Ambas clases me proporcionaron no solo un gran régimen de ejercicio, sino también dosis saludables de humildad: descubrí que a pesar de mi condición física, no era muy buena en ninguna de las dos.

Comencé la clase de Power Sculpt en la Etapa 1 de la *incompetencia inconsciente.* Estaba familiarizada con sentadillas, extensiones de pierna y curl de bíceps, pero nunca había oído hablar de patadas de burro, remo vertical y planchas inversas. Mi primera clase me movió hacia la Etapa 2 de *incompetencia consciente*: sabía que no sabía. Con un poco de práctica, dominé los ejercicios y me sentí orgullosa de avanzar a la Etapa 3 de la *competencia consciente*—aunque todavía necesitaba enfocarme para mantener la forma apropiada. Hoy, ni siquiera tengo que pensar acerca de hacer los ejercicios. He llegado a la Etapa 4 de la *competencia inconsciente* y me siento lista para tomar más desafíos. He alcanzado las metas que me propuse, y pasé la clase metafórica en la que me había inscrito. Por lo tanto, ahora estoy lista para matricularme en nuevas clases en la escuela de mi vida.

Me gusta este modelo de aprendizaje porque muestra una simple secuencia de pasos que puedes seguir para dominar cualesquiera habilidades que quieras o necesites. Desglosa el proceso de aprendizaje y disipa cualquier sentido de confusión, culpa o vergüenza cuando no sabes cómo hacer algo. La incompetencia no es una declaración de insuficiencia; simplemente significa que necesitas más práctica para aprenderlo bien. Si pones tu intención y dedicas el tiempo y energía suficientes en el proceso, puedes alcanzar la *competencia consciente* (donde sabes que sabes) con un conjunto más de habilidades.

---

22. Actividades

1. *Identifica un ejemplo (como aprender a cocinar) de cuando avanzaste de la Etapa 2 de la incompetencia consciente (sabiendo que no sabías cómo hacer algo) hacia la Etapa 3 de competencia consciente (sabiendo que sabías cómo hacerlo). Recuerda las actividades que hiciste para dominar esa habilidad.*
2. *Identifica una habilidad (por ejemplo, aprender a jugar un deporte o tocar un instrumento musical) que has aprendido lo suficientemente bien como para moverte hacia la Etapa 4 de la*

competencia inconsciente (ejecutar la habilidad automáticamente). Permítete tener un sentido de satisfacción por haber logrado ese nivel de experiencia.

3. *Identifica un área de tu vida dónde estés todavía en la Etapa 2 de la incompetencia consciente y en la que quieras llegar a ser competente. Luego, apunta un paso que quieras tomar para dominar esa habilidad.*

Tres pasos para la capacitación

A la edad de 44, George Sheehan, un cardiólogo exitoso, sabía que necesitaba nuevos desafíos en su vida, por lo tanto, comenzó a trotar (corrió varios maratones) y a escribir (se convirtió en el editor médico de la revista *Runner's World*). En 1986, descubrió que tenía cáncer de próstata, pero siguió corriendo y escribiendo hasta su muerte. El libro *Did I Win? A Farewell to George Sheehan* (¿Gané la carrera? Un adiós a George Sheehan) dice que él afirmó:

> *Todavía me pregunto si jugué este juego de la vida lo suficientemente bien para ganar. Es tan difícil saber lo que realmente importaba. Es como si toda mi vida la hubiera pasado estudiando para un examen final, y ahora no estoy seguro qué era importante y qué no lo era. ¿Gané la carrera? ¿Hay alguien de nosotros que lo sepa? ¿Hay algo que hayamos hecho que nos asegure que hemos pasado la prueba? ¿Podemos estar seguros de que hicimos lo mejor que pudimos en lo que se suponía que debíamos hacer?*[43]

El Dr. Sheehan entendió la metáfora acerca de los exámenes

que la vida presenta. Con valentía, cuestionó el significado de su propia vida y si usó el tiempo que se le dio para enfocarse en cuestiones importantes; se preguntó si hizo lo mejor que pudo y si lo dio todo. Sabiendo que algún día podría estar yo en la misma posición, cuestionándome si usé mi vida de forma sabia, estoy incluso más determinada de convertirme en una mejor estudiante de la vida *ahora mismo*. El Modelo de Aprendizaje de Competencia Consciente me aporta algunas de las piezas del rompecabezas, pero donde me estanco es el tramo entre la Etapa 2 y la Etapa 3 (pasar de saber que soy incompetente a saber que soy competente). Como exdirectora de un centro de aprendizaje de una universidad, estaba en una posición ideal para trabajar con miles de estudiantes que pasaban por nuestra oficina. De hecho, esos estudiantes llegaron a ser algunos de mis mejores maestros mientras observaba el proceso de aprendizaje. Y lo que me enseñaron reforzó mis propias conclusiones acerca de cómo la ruptura en el aprendizaje más frecuentemente se genera entre la *incompetencia consciente* y la *competencia consciente*—el pasar de saber que no sabes, a aprender la lección, y saber que sabes. Lo que sucede entre estas dos etapas puede dividirse en tres pasos:

1. La conciencia.

Aquí es donde tomas conciencia de que hay algo que necesitas aprender. El Universo llama tu atención y, de alguna manera, sabes que no sabes. Seguido, te das cuenta de qué es exactamente lo que el Universo está tratando de enseñarte. Identificas la clase específica que necesitas tomar (por ejemplo, una sobre cómo andar en bicicleta). En este primer paso, estás lidiando con la mente (pensamiento, entendimiento y comprensión).

2. Desarrollo de habilidades.

Este paso es donde accedes a tus habilidades naturales para ser competente en algo nuevo, o te tomas el tiempo para desarrollar una nueva habilidad. Si las lecciones son en un área donde ya tienes algunas fortalezas o talentos innatos, este paso podría ser corto y sencillo. El desarrollo de capacidades puede llevar más tiempo e involucrar aprendizaje más complejo porque muchas lecciones requieren un cambio de comportamiento. Para completar este paso, frecuentemente necesitas desarrollar capacidades de conducta que no tenías antes; necesitas poder hacer algo diferente.

3. La aplicación.

Aquí es donde aplicas lo que aprendes a tus experiencias cotidianas. En el paso 2, desarrollas tus capacidades—por ejemplo, puede que manejes tu bicicleta lo suficientemente bien para ir de un lado al otro de la cochera. En el paso 3, tienes las habilidades para andar en la calle o donde sea que quieras. Eres *conscientemente competente*: sabes cómo manejar bien una bicicleta, y sabes que tú sabes. Puede que todavía necesites enfocarte, pero puedes pasar la mayoría de los exámenes para andar en bicicleta. Aprender una lección de vida exitosamente significa que puedes pasar los exámenes que la vida te presenta—y puedes hacerlo correctamente casi todas las veces.

En la escuela de la vida, hay zonas de peligro—lugares donde llegas a un callejón sin salida—en el proceso de aprender tus lecciones. Una de las más comunes es la creencia de que una vez que sabes qué cambiar, deberías poder cambiar tu comportamiento de inmediato. Pero cuando se trata de aprender lecciones, muchas veces no basta con tener entendimiento. Solo porque entiendas algo no significa que inmediatamente puedes hacerlo de forma diferente. Cambiar el comportamiento requiere un conjunto de habilidades diferentes; es un proceso difícil que requiere paciencia, práctica y apoyo durante un largo periodo. Si sabes que hay una lección que necesitas aprender, pero que todavía no has podido aplicar (por ejemplo, el manejo del peso), sé amable contigo mismo. No te regañes por no pasar directamente del entendimiento a la acción aplicada. La autocrítica no es útil, y daña tu autoestima. El Universo está tratando de ayudarte a aprender y avanzar. Puedes facilitar el proceso al permanecer atento al siguiente conjunto de instrucciones. La vida no te está castigando; no necesitas castigarte. Además, sentirse culpable roba la energía, y puedes usar esa misma energía para aprender tus lecciones y seguir adelante.

---

23. Actividades

Identifica un área de tu vida donde estés estancado (por ejemplo, la dieta, el peso o el ejercicio), aunque entiendas lo que necesitas hacer para desatascarte. Luego, hazte estas preguntas:

1. *¿Me siento culpable por no avanzar en esto, especialmente debido al entendimiento que tengo acerca de mi situación?*
2. *¿Mi sentido de culpa me ha ayudado a encontrar una solución a esta cuestión?*
3. *¿Cuál es la lección que necesito aprender?*

Tu lección puede implicar obtener más información para que puedas descifrar una solución. Puede significar aprender una nueva serie de habilidades de conducta, algo que puede requerir tiempo y paciencia. Puede que necesites obtener apoyo de un amigo de confianza, familiar, mentor personal o terapeuta. También puede implicar estar abierto a las instrucciones que recibas de los maestros externos e internos. Y recuerda que el continuar haciendo lo que siempre has hecho no producirá un resultado diferente; por lo tanto, estate dispuesto a probar nuevas opciones.

Tu estilo de aprendizaje

Durante mi tiempo como consejera académica en el programa atlético, los entrenadores a menudo me enviaban a los estudiantes atletas que estaban enfrentando dificultades ya sea con sus clases o de alguna otra índole. Yo luego los monitoreaba para detectar problemas de aprendizaje y cuestiones personales. Bryan me fue referido por su entrenador porque estaba frustrado y confundido por el comportamiento del atleta. Pese a su pasado como un excelente atleta en la escuela preparatoria, Bryan se estaba ganando rápidamente una reputación de ser «difícil de entrenar» en su primer año, lo cual era muy inusual en el mundo de los deportes de División 1. (Para cuando son reclutados, los atletas de la escuela preparatoria general ya han sido generalmente evaluados por varios años. Quieren rendir bien en su deporte porque eso implica tiempo de juego, becas, reconocimiento y una oportunidad codiciada de jugar profesionalmente. La motivación es rara vez un problema).

«Bryan no me escucha», explicó el entrenador. «Le digo que haga algo, y él solo me mira con una mirada en blanco. No sé si él no quiere hacer lo que le digo, o si no sabe cómo hacer lo que le digo».

Cuando hablé con Bryan acerca de las preocupaciones de su entrenador, también estaba desconcertado por lo que sucedía. No podía explicar su comportamiento: «Me fue bien en la preparatoria. No sé por qué es tan difícil. Estoy intentando». Pude ver que estaba verdaderamente conmocionado por su incapacidad a la hora de rendir. De inmediato, lo referí a un especialista de aprendizaje para que le realizaran exámenes.

Una de las pruebas que Bryan tomó evaluó su estilo de aprendizaje y cómo aprendía mejor. (La gente aprende mejor en una de tres formas: oyendo, viendo o haciendo. Los alumnos **auditivos** aprenden mejor con la información que oyen. Los alumnos **visuales** aprenden mejor con la información que ven. Los alumnos **cenestésicos** necesitan procesar nueva información a través del movimiento o actividades físicas).[44]

Los resultados de las pruebas de Bryan nos dieron las respuestas que necesitábamos. La prueba de los estilos de aprendizaje demostró que él tenía un canal auditorio extremadamente débil—le resultaba especialmente difícil procesar la información que pasaba a través de sus oídos. Por lo tanto, sin importar cuántas veces su entrenador le dijera que hiciera algo, no lo asimilaba. Aunque su canal visual era más fuerte que sus habilidades auditivas, Bryan tampoco era un gran alumno visual; por lo tanto, para él, observar a otro jugador no era la mejor forma de aprender. La fortaleza de Bryan era su habilidad de aprender haciendo; era un alumno cenestésico. Sus entrenadores anteriores habían usado actividades cuando trabajaban con sus jugadores, por lo tanto, a Bryan le había ido muy bien en la preparatoria. Sus dificultades de aprendizaje solo se mostraron en la universidad porque allí se utilizaba un estilo de entrenamiento diferente.

Compartí los resultados de las pruebas de Bryan con él y su entrenador, quien luego hizo cambios a sus técnicas de entrenamiento. En lugar de decirle a Bryan qué hacer, le pedía a otro jugador que demostrara una nueva habilidad. Bryan observaba y ejecutaba la nueva habilidad al mismo tiempo— lo que le permitía usar sus dos canales de aprendizaje más fuertes. Y para ayudarle con el lado académico, le di consejos sobre cómo mejorar su aprendizaje en el salón de clase, tales como subrayar el material importante, tomar notas y usar tarjetas con imágenes. Se emocionó cuando comenzó a obtener mejores calificaciones.

Es duro para muchos atletas de la preparatoria pasar de ser un pez grande en un estanque pequeño a ser un pez pequeño en uno de los típicos programas deportivos de División 1. Ya no son el jugador estrella o el centro de atención; y como si fuese poco, generalmente calientan la banca en su primer año. Bryan había manejado bien la transición, pero el sentir que no podía complacer a su entrenador era duro para él. Sin embargo, con su estilo de aprendizaje nuevamente descubierto y un método de entrenamiento diferente, Bryan cumplió con creces las expectativas de su entrenador y comenzó a brillar. Se sentía mejor acerca de sí mismo; andaba con la cabeza más alta y se movía con autoconfianza.

¿Qué me dices de ti, amigo? ¿Cómo aprendes mejor? ¿Conoces tu estilo de aprendizaje? Puede que ya tengas un buen entendimiento de tus puntos fuertes y débiles con respecto al aprendizaje. Pero si no, la Lista de Modalidades Sensoriales en el Apéndice C es la misma que usó Bryan. Espero que te tomes unos cuantos minutos para completar el cuestionario. Se lo he dado a muchos estudiantes universitarios, y casi todos me han dicho que sus resultados han sido tanto exactos como sorpresivamente útiles. Yo también he respondido este cuestionario varias veces y mis puntuaciones reflejan lo que he sabido: mi punto más fuerte es el visual, seguido por el cenestésico y luego el auditivo. La lección de vida aquí es que necesito incorporar mis puntos fuertes en todas mis experiencias de aprendizaje. Te animo a que tengas en cuenta tus puntos fuertes del aprendizaje y los uses aproveches cuando estés en una situación de aprendizaje. También recuerda que es importante usar los tres canales cuando estés aprendiendo algo nuevo: oye la información, ve la información y participa activamente.

La cantante de *country* Carrie Underwood ha aprendido las letras de cientos de canciones. Durante una entrevista, Carrie dijo que aprende mejor a través de escribir. Cuando necesita aprender una nueva canción, escribe la letra. Ella dijo: «No puedo solo leerla y recordarla. Tengo que ser parte de ella, o sea, verla, oírla, sentirla y escribirla».[45] Esta misma estrategia es aplicable a ti. Sí, tienes puntos fuertes y débiles específicos en tu forma de aprender. Pero cuando internalizas material a través de los tres canales, aprenderás más rápidamente y tendrás más posibilidades de recordarlo más tarde.

---

24. Actividades

Es importante en la escuela de la vida conocer tu estilo de aprendizaje. Incluso, si crees que ya sabes tu mejor forma de aprender, yo todavía te recomiendo tomar unos minutos para completar la lista de verificación en el Apéndice C. No hay respuestas correctas o incorrectas, solo lo que tú prefieras. Da un tres a la respuesta que sea más típica para ti y un uno a la respuesta que sea la menos típica. Usa las instrucciones proporcionadas para determinar tu modalidad de aprendizaje más fuerte. Luego, considera las siguientes sugerencias:

1. Para los estudiantes auditivos

- *Lee en voz alta.*

- *Recita el material en voz alta.*
- *Graba (con permiso) pláticas y conferencias, y luego escúchalas otra vez.*
- *Habla con otros acerca de lo que estés aprendiendo.*
- *Usa grupos de estudio.*
- *Enseña a alguien más.*
- *Agrega nuevo material a canciones que ya conoces.*
- *Toma descansos con música.*

2. *Para los estudiantes visuales*

- *Escribe las cosas.*
- *Resume materiales de lectura.*
- *Examina cualesquier gráficos y diagramas presentes.*
- *Reescribe notas.*
- *Usa tarjetas de memoria.*
- *Usa imágenes visuales (visualiza mentalmente lo que se está aprendiendo).*
- *Usa colores para codificar el material (por ejemplo, resalta materiales similares con el mismo color).*

3. *Para los estudiantes cenestésicos*

- *Incorpora actividades físicas al aprendizaje (por ejemplo, resaltando y tomando notas).*
- *Usa tarjetas de memoria.*
- *Mueve un dedo bajo las palabras cuando estés leyendo material detallado o difícil.*
- *Lee en voz alta.*
- *Enseña o presenta el material que estás*

estudiando a un amigo.
- *Estudia en una silla mecedora o mientras caminas.*
- *Ensaya los movimientos cuando aprendas actividades físicas.*

Después de que descubras qué estilo de aprendizaje prefieres, haz una nota mental para usarla cuando estés aprendiendo algo nuevo. Usar tu fortaleza facilita el aprendizaje y usar los tres canales—auditivo, visual y cenestésico—es el mejor método. Cuando doy clases, siempre hago que los estudiantes usen sus oídos, ojos y movimientos físicos para aprender el material. Tú puedes hacer lo mismo cuando estés ayudando a otra persona a aprender.

Capítulo 8

Convertir los obstáculos en maestros

Cómo identificar obstáculos y aceptar los regalos de su instrucción

Te dije anteriormente que me estoy recuperando de una tendencia a dejar las cosas para último momento. Era una experta en la postergación, haciendo hazañas increíbles a última hora. Nada me causaba cualquier consecuencia negativa, excepto por las cantidades locas de estrés innecesario. Pero mi comportamiento era definitivamente un patrón de conducta. Un buen amigo me dijo: «LG, llevas tu vida como si estuvieras yendo a una casa en llamas».

Después de completar mi tarea del curso de posgrado, hice un internado de predoctorado que incluía enseñar una clase sobre la postergación. Aprendí que algunos desidiosos solo necesitan que se les enseñe técnicas de manejo de tiempo y luego, ya están bien. Otros son más empedernidos; continúan postergando pese a saber cómo manejar su tiempo, y sin importar los resultados negativos.

Descubrí mi propia vena de desidia empedernida cuando comencé mi primer trabajo de tiempo completo. Al saber que nuestras reuniones de personal no empezaban hasta cinco minutos después de que eran programadas, yo habitualmente aparecía justo en cuanto la junta comenzaba. Siempre me sentía culpable y sabía que mi comportamiento era antiprofesional y descortés. Aun así, parecía no poder cambiar. Nadie decía nada, pero yo sentía su cuestionamiento silencioso cada vez que llegaba tarde. Un día, después de llegar tarde como de costumbre, la culpa me forzó a preguntarme:

¿Por qué siempre llegas tarde? Mi respuesta me sorprendió y me avergonzó; también me hizo sentirme expuesta: *Porque se siente poderoso.* Mi tardanza crónica me daba un sentido de poder en un ambiente donde no siempre me sentía de esa manera. Estaba trabajando más duro que nunca; estaba dándole a mis compañeros todo de mí y algo más. Por lo tanto, llegar tarde era mi forma inmadura de reivindicar mi poder e independencia. Tenía que ir a las reuniones, pero lo iba a hacer en mi tiempo.

Descifrar los beneficios de llegar tarde me hicieron examinar las otras formas en las que postergaba. Quedé asombrada en qué maestro tan asombroso se convirtió. Me enseñó que la postergación creaba emoción en mi vida. Me enseñó que quería sentirme poderosa—lo cual sucedía cuando cumplía con mis fechas límite. Y al llegar tarde a mis reuniones, sentía una sensación de poder personal sobre otras personas. Sin embargo, pronto me di cuenta de que necesitaba aprender a sentirme poderosa a causa de mis habilidades y éxitos, y a causa de las formas en las que podía ayudar a otros. Por lo tanto, ahora mantengo una emoción y una sensación de empoderamiento integrada a mi estilo de vida al incorporar actividades saludables y constructivas—no mi drama interno producido por el estrés. Ya no necesito la postergación para obtener las recompensas que proporciona, y ya no es un problema. De hecho, evito las situaciones que acostumbraba crear con mi postergación porque no me gustan esos sentimientos de estrés. He descubierto que cumplir con mis fechas límite a tiempo se siente estimulante y emocionante.

Por lo tanto, ¿con qué clase de obstáculos estás lidiando? ¿Tienes conflictos interiores u obstáculos internos que crean estrés innecesario en tu vida tal como lo hizo mi postergación?

Quizás estés en una batalla constante con tu peso y ejercicio. ¿Enfrentas barricadas externas u obstáculos, como el no tener suficiente tiempo o dinero? Quizás estés pensando en una vida totalmente diferente—una vida donde te sientas feliz y satisfecho—pero eso sigue siendo un sueño distante. Lo que sea que te esté impidiendo vivir ese sueño puede llegar a ser tu maestro para ayudarte a llegar allí.

Las zonas de peligro

Después de oír miles de historias de clientes, vi obstáculos comunes donde la gente quedaba estancada. Los obstáculos, que yo denominé zonas de peligro, aparecían tan regularmente en sus vidas que yo frecuentemente podía predecir que se enfrentaban a cuestiones específicas. Como motorista, sabes que las carreteras a menudo tienen señales que advierten sobre zonas en construcción o peligro adelante. Los eventos de tu vida también llevan señales metafóricas para advertirte que pongas atención para no tener un accidente o no quedar varado al lado del camino. Los siguientes obstáculos de la vida a menudo dicen: Precaución o Peligro Adelante:

1. Manejo del tiempo inadecuado.

Te estableces una meta y luego te das cuenta de que no tienes suficiente tiempo para lograrla. Esta zona de peligro es tan común que la voy a abordar más adelante de forma más profunda.

2. La postergación crónica.

Esta es una variante del manejo del tiempo, pero las razones por las que postergas pueden ser diferentes. Esto también lo abordaré más tarde.

3. Las creencias limitantes.

Tus creencias inconscientes hacen más para impedirte alcanzar éxito que cualquier otra causa. Este obstáculo interno merece especial atención, por lo tanto, la cubriré más adelante con mayor profundidad.

4. El miedo restrictivo.

¿Tienes temor a lo desconocido? ¿Te aferras a lo conocido—incluso si te hace infeliz—porque el saltar hacia la incertidumbre a menudo se siente como un destino peor? La vida es una cuestión de cambios, por consiguiente, ¿cómo los manejas? ¿Tienes miedo del cambio porque no sabes hacia dónde te llevará? ¿Estás tambaleando entre quererlo y evitarlo? El temor puede atraparte en sueños pequeños y visiones limitadas; puede impedir que pienses en grande. Sin embargo, también puede llegar a ser un maestro poderoso—si aprendes a descomponerlo y extraer la sabiduría que proporciona.

5. El estrés.

El cambio puede causar estrés. Incluso cuando parece ser positivo (por ejemplo, un matrimonio o una promoción de trabajo), el cambio te demanda que te adaptes, lo cual puede causar estrés. Los conflictos internos y malas decisiones también pueden crear estrés. Yo hablaré acerca de esto más adelante en el libro.

6. Los límites nocivos.

Necesitas límites en tu vida: límites internos que tú establezcas y límites externos que establezcas a partir de las intrusiones de alguien más. Algunos ejemplos comunes de límites internos incluyen encontrar un balance entre comer demasiado y no comer nada, entre dormir demasiado y no dormir lo suficiente, entre ejercitarte demasiado y no ejercitarte lo suficiente. Otros ejemplos pueden incluir tomar, trabajar o pasar demasiado tiempo con un dispositivo electrónico. Cualquier actividad que realices puede hacerse de manera excesiva y con resultados negativos, y esos extremos pueden convertirse en adicciones. También puedes perderte en tus pensamientos y deseos desenfrenados (por ejemplo, asignarle demasiado valor al dinero, estatus o poder), lo que puede hacerte renunciar a tu autenticidad y propósito en la vida. Por lo tanto, la falta de límites personales es definitivamente una señal de futuros peligros.

Los límites no saludables también pueden causar estragos en las relaciones interpersonales. ¿Alguna vez te has involucrado con alguien cuya disfunción puso en peligro tu equilibrio? ¿Tal vez un amigo que se volvió demasiado necesitado o demandante? Las parejas a veces quedan atrapadas en las dinámicas destructivas de su interacción. No saben cómo establecer los límites que mejorarían su relación. Estoy segura de que has oído del acoso que ocurre en el internet, en escuelas y en el lugar de trabajo. Los límites nocivos son una constante todos los días, y pueden mantenerte estancado en la escuela de la vida hasta que aprendas la lección que los límites saludables pueden ofrecerte.

7. Autenticidad sacrificada.

Esto ocurre tan frecuentemente: quieres complacer a otros, por lo tanto, te conviertes en quien piensas que ellos quieren que seas. Haces cosas que otros quieren que hagas. Les permites dictar quién eres y cómo actúas. A veces incluso vienen y te dicen directamente cómo debes vivir tu vida. O tú tratas de controlar cómo te ven otros al hacer las cosas que asumes que los impresionarán. Tus esfuerzos te dejan viviendo en un mundo fantástico de suposiciones. Por lo tanto, en lugar de esforzarte por vivir desde tu propia esencia, saltas hacia un camino en el cual tratas de descifrar lo que otros quieren que seas. Luego, gastas excesivas cantidades de tiempo y energía convirtiéndote en esa persona—perdiendo así tu esencia y lo que te hace especial.

Otra forma de sacrificar tu autenticidad es compararte con otros. Cuando te comparas, terminas sintiéndote mejor o peor que alguien más—lo que puede crear distancia en tus relaciones. Un espíritu competitivo saludable es bueno, pero no cuando la meta se convierte en vapulear a la otra persona en lugar de hacer lo tuyo. Compararte con otros impide tu progreso; te distrae de dar tu mejor esfuerzo y correr tu carrera.

8. Impotencia aprendida.

El psicólogo Martin Seligman realizó varios experimentos de laboratorio con perros. En un experimento, a un grupo de perros se les dio choques eléctricos, pero se les dejó escapar. A un segundo grupo también se le dio choques eléctricos, pero no se les permitió escapar. Como resultado, se hicieron dóciles y sin vida. En experimentos subsecuentes, a los perros pasivos se les permitió que escaparan a los choques eléctricos, pero no lo hicieron; habían aprendido a darse por vencidos. El Dr. Seligman llamó a este concepto *impotencia aprendida*. Se dio cuenta de que las personas también aprendían a ser impotentes con base en sus experiencias previas, las cuales frecuentemente creaban problemas más tarde en sus vidas. (A propósito, él sufría con la ética de sus experimentos. Determinado a usar los resultados de su trabajo para el bien, publicó su investigación para ofrecer un mensaje de esperanza).[46]

Anteriormente, escribí acerca de cómo la cultura de hoy te

disuade de expresar tus emociones, especialmente aquellas que son consideradas negativas (por ejemplo, la furia, el miedo, los celos y el dolor). Como resultado, creces sin saber cómo lidiar con estos sentimientos. Aprendes a ignorarlos o pretender que no están allí, solo para que al final terminen extendiéndose en tu vida de formas insalubres (por ejemplo, estrés, enfermedad o adicciones). En otras palabras, aprendes a ser impotente cuando se trata de expresar tus sentimientos y esa impotencia a menudo se convierte en una zona de peligro debilitante.

Puede que también aprendas la impotencia al observar a otros a tu alrededor. Si nadie en tu familia o círculo íntimo de amigos te muestra cómo motivarte, cómo asumir metas realistas y desafiantes—y cómo triunfar en esas metas— puedes aprender indirectamente ese mismo patrón de impotencia. Al observar a otros, tal vez adoptes actitudes insalubres, como el pesimismo o culpar a otros por tus fracasos, en lugar de tomar responsabilidad por tus acciones. Puede que aprendas a ver los obstáculos como adversarios, enemigos con quienes luchar, en lugar de partes normales de la vida que deben superarse. Debo señalar que la impotencia aprendida es diferente al temor, la cuarta zona de peligro. No se trata de tener miedo a pensar en grande y avanzar. La impotencia aprendida tiene que ver con ser resignado: debido a tus experiencias pasadas, crees sinceramente que no puedes o no quieres triunfar; por lo tanto, para qué molestarse en tratar. Como los perros de los experimentos de Seligman, llegas a resignarte a tu suerte en la vida y aceptas con pasividad las limitaciones percibidas que conlleva.

9. La intuición ignorada.

Lleva práctica aprender cómo usar este instinto natural, por lo tanto, es fácil ignorar o pasar por alto la sabiduría que proporciona. Necesitas experimentar con escuchar y confiar en tu voz interior, en tus corazonadas. Desarrollar la valentía de actuar según tu guía interna es una tarea de toda la vida— pero una que abre la puerta a muchas oportunidades.

10. Habilidades inadecuadas para establecer metas.

Les he enseñado establecimiento de metas a cientos de personas, y siempre me sorprendo en cómo muchos de ellos comienzan con metas no realistas. Por ejemplo, se ponen la meta de ejercitarse más. Yo les pido que sean más específicos, por lo tanto, dicen: «Quiero ejercitarme seis días a la semana». Cuando les pregunto cuántos días se están ejercitando ahora, responden con «Uno» o «Ninguno». Estas personas se están preparando para el fracaso. El cambio rara vez sucede de la noche a la mañana; no irán de cero a 60 solo porque se impusieron la meta de cambiar su comportamiento dramáticamente. Un objetivo más realista sería ejercitarse dos días a la semana y luego agregar más días a medida que ajustan su vida y horario para cumplir con la meta. Aprender nuevos hábitos lleva tiempo y práctica.

Una sólida habilidad para establecer metas es imprescindible si quieres hacer cambios significativos en tu vida. Hay tantas formas en que puedes descontrolarte cuando te dispones a cambiar aspectos específicos de tus pensamientos, comportamiento y hábitos. Sin embargo, ese tipo de cambio es necesario si quieres hacer que tus sueños se hagan realidad.

---

25. Actividades

Estas 10 zonas peligrosas a menudo crean obstáculos a medida que avanzas en la escuela de la vida. Y dependiendo de cómo te encargas de ellas, los obstáculos pueden ser amigos o enemigos. Pregúntate:

1. *¿Hay una zona peligrosa que me esté deteniendo (por ejemplo, miedo al cambio o límites nocivos)?*
2. *¿Qué recompensa me está dando ese obstáculo?*
3. *¿Hay una forma más saludable en la que pueda incluir esa recompensa en mi vida?*
4. *¿Qué lección está tratando de ayudarme a aprender mi obstáculo? (Esta pregunta es especialmente útil si no puedes identificar la recompensa que tu obstáculo proporciona).*
5. *¿Hay otro obstáculo que me esté deteniendo? (Si lo hay, pásalo y responde las preguntas otra vez).*

Manejo del tiempo

Imagina que alguien dice que te dará $10.000 si lees un libro corto y escribes una reseña acerca de él dentro de las próximas dos semanas. La lectura y la escritura te llevará unas 10 horas para completar, por lo tanto, la tarea no es difícil. No puedes dejar de asistir al trabajo o la escuela, no puedes cortar tus horas de sueño, y también deberás mantenerte al tanto con tus otras prioridades. ¿Podrías encontrar el tiempo? Por supuesto que lo harías. Por esa cantidad de dinero, te harías creativo y reprogramarías tu horario. Dejarías de trivializar con cosas que no fueran importantes. Y serías más rápido en hacer tus tareas diarias.

¿Cuál es mi punto? Mi punto es que *tú ya sabes cómo manejar tu tiempo más efectivamente.* Ya has aprendido técnicas de manejo del tiempo que te ayudarían a ser más productivo, pero no las usas. Intuitivamente sabes cómo usar tu tiempo de mejor forma, pero no escuchas ese consejo interno. ¿Por qué? Creo que es porque te falta la recompensa correcta para motivarte. ¿Qué enciende tu fuego para hacer más? ¿Qué es lo que te impulsa a hacer lo que sea para cumplir con tus tareas? La pasión y el compromiso sincero es lo que te motivará a encontrar las técnicas de manejo del tiempo para hacer que las cosas pasen. Porque aquí está el asunto: nadie puede decirte *exactamente* cómo manejar tu tiempo. La gente puede darte estrategias que funcionen muy bien para ellos, pero tú todavía necesitas probar aquellas estrategias para ver si funcionan para ti. El tener un incentivo irresistible, una recompensa por la que estés dispuesto a trabajar hace que el proceso sea más fácil. Te da la energía y motivación para seguir avanzando hasta que descubras las técnicas específicas que te ayudan a hacer más.

Estoy motivada a hacer un buen uso de mi tiempo porque no quiero llegar al final de mi vida y lamentar el no haber completado mi propósito de estar aquí. Por lo tanto, el tiempo se convierte en mi maestro, ofreciéndome instrucciones diarias a medida que mejoro en manejarme a mí misma. Ocasionalmente, el tiempo parece implacable, porque el tic tac del reloj nunca para. Pero cuando mi manejo personal va bien, el tiempo se parece a un amigo confortable y predecible, asegurándome de que estoy en buen camino para alcanzar mis metas. Aquí te presento mis técnicas favoritas de manejo de tiempo. Puede que también funcionen para ti.

1. Usa la intuición.

La intuición es una técnica poderosa para manejar tu tiempo, pero muy pocos libros sobre el manejo del tiempo mencionan el rol que puede jugar para ayudarte a usar tu tiempo más sabiamente. De hecho, puede ser una de tus herramientas más grandes si puedes aprender a aprovechar el consejo que te puede ofrecer. Si alguna vez has enfrentado una fecha límite corta e inesperada, puede que sin saberlo ya te hayas beneficiado de la guía creativa e intuitiva que siempre está allí.

En el capítulo seis, exploré las formas de acceder a tu potencial intuitivo. Quizá te resulte útil usar la actividad de visualización guiada en el Apéndice B. Comienza por preguntarle a tu intuición: ¿Cómo puedo hacer un mejor uso de mi tiempo?

2. Aprovecha la intención.

La intención tiene un potencial asombroso en el área del manejo del tiempo; es gratis y fácilmente accesible. La mayoría de las veces funciona en conjunto con tu intuición cuando te inspiras para completar un proyecto que es importante para ti. Una vez que fijes tu mira en lo que quieras, haz un compromiso total para lograrlo. Deja que tu entusiasmo emocional, claridad cognitiva y esfuerzos físicos trabajen juntos para crear un resultado. Al hacer eso, invitarás al Universo a proporcionar los recursos necesarios para hacerse cargo de los detalles que estén fuera de tu control.

3. Mantén listas de cosas por hacer.

No me gusta el desorden innecesario en mi cabeza, y no me gusta tener que recordar cosas que fácilmente irían en una lista de cosas por hacer. Por lo tanto, mantengo varias listas: para las compras, para cosas que necesito hacer fuera de lo ordinario (por ejemplo, encontrar una nueva cuidadora de mascotas), y para metas y tareas misceláneas que quiero completar. Para mí, las listas funcionan. Rara vez paso por alto mis fechas límite; rara vez fallo en cumplir mis compromisos. Además, me encanta tachar las tareas completadas.

Por lo tanto, trata de preparar algunas listas de cosas por hacer para ver si te ayudan a manejar mejor tu tiempo. Asegúrate de mantenerlas a la vista para que así te hagan recordar lo que necesita hacerse. Algunas personas guardan todo en su teléfono, tableta o computadora; otros usan listas impresas. Encuentra lo que funcione para ti.

4. Prioriza.

De tanto en tanto, las listas de cosas por hacer se vuelven largas y abrumadoras. Obviamente, no puedes hacer todo al mismo tiempo, por lo tanto, necesitas priorizar.

Una vez que priorices tus listas, entonces puedes usar la regla 80/20, la cual declara que el 80 por ciento del valor viene de hacer el 20 por ciento del trabajo. Así que, si tienes una lista de quehaceres con 10 cosas, puedes obtener el 80 por ciento del valor de todas las cosas al hacer las dos que sean más importantes. Si puedes completar las cosas de alta prioridad primero, entonces puedes disfrutar de la ola de buenas sensaciones que se produce al lograr un progreso sustancial. Asegúrate de revisar tus prioridades regularmente, porque cambian con frecuencia.

5. Establece metas de largo y corto plazo.

Por lo tanto, ¿cómo identificas tus prioridades principales? A veces, la vida dicta lo que es importante. Si solo tienes tantos días para enviar un regalo de cumpleaños por correo, entonces eso puede llegar a ser tu prioridad. Sin embargo, si quieres ir a algún lado diferente de donde sopla el viento, necesitas metas de largo y corto plazo que reflejen tus valores y cómo deseas invertir tu tiempo.

6. Pon fechas límite.

Tus metas pueden flotar como ilusiones, nunca materializándose a menos que tengas fechas límite para completarlas. A veces, la meta lleva su propia fecha límite, como los días festivos y la presentación de impuestos; otras veces, necesitas establecer tus propias fechas límite. Agregar fechas límite a tus listas de quehaceres es fácil y te ayuda a priorizar.

7. Usa tu mejor momento.

Una vez que identifiques tus metas, necesitas descifrar exactamente cuándo las cumplirás. (Esto está relacionado a la técnica del tiempo asignado a una tarea que cubrí anteriormente, en la cual dedicas suficiente tiempo para convertir tus metas en realidad). Yo soy una persona mañanera. Es más fácil para mí concentrarme cuando me levanto por la mañana, por lo tanto, ese es mi mejor momento. Algunas personas se enfocan mejor durante el día, y otras funcionan mejor durante la noche. Averigua cuál es tu mejor momento y aprovéchalo. Si puedes, haz una cita con tu meta en tu calendario. Enfoca tu atención y esfuerzo en esa meta durante tu mejor momento. Trabajar en tus metas más importantes y difíciles te ahorrará tiempo.

8. Usa un calendario mensual a simple vista.

Yo mantengo un gran calendario en mi cocina para verlo varias veces al día. Escribo mis citas personales y recordatorios de cosas como citas médicas, aniversarios y fechas de viaje. Puesto que muestra todo el mes, se me hace fácil ver y prepararme para lo que viene. Para mí es más fácil guardar mis citas de negocios en mi teléfono, sincronizadas con el calendario de mi computadora. Le agrego citas personales o de viajes para no duplicar mi programa. Algunas personas prefieren los calendarios físicos; a algunos les gustan los recordatorios en sus teléfonos. Encuentra lo que funcione mejor para ti.

También, cuando programas tus actividades diarias, deja tiempo para los retrasos e interrupciones inesperadas—que seguramente aparecerán. Esto te permite contar con algo de flexibilidad cuando las cosas no van de acuerdo al plan.

9. Visualiza el éxito.

Cuando necesito una ayuda extra para lograr algo en mi lista de quehaceres, me visualizo a mí misma completando la tarea. Hago esto antes de quedarme dormida la noche antes que planeo completar la meta. Pongo mucha atención a en qué momento durante el día llevaré a cabo la actividad. Y la mayoría del tiempo, cumplo con la tarea rápida y fácilmente—como si ya hubiera triunfado al visualizarla primero y ahora lo único que tengo que hacer es seguir adelante con la acción.

Me gusta combinar esta técnica con la de priorizar. A menudo, me pregunto a mí misma: *¿Cuál es la prioridad que tengo que hacer mañana que me hará sentir bien mañana en la noche?* Elijo algo, decido el mejor tiempo de hacerlo, y luego me visualizo haciéndolo. Casi sin excepción, logro hacerlo—y sentirme bien debido a ello.

10. Crea una compulsión a la conclusión.

Yo tengo una necesidad—un incentivo irresistible o una (casi) compulsión—de completar las cosas en mi lista. Un psicólogo llamado B. Zeigarnik declaró que algunas personas tienen una compulsión inherente (es decir, el efecto Zeigarnik) de terminar una tarea u obtener un cierto resultado.[47] Y si eres una de esas personas, una vez que comienzas una tarea, te llenas de energía. Cuando completas una parte pequeña de tu cosa por hacer, activas tu necesidad de seguir. Por lo tanto, si tu prioridad es ir al doctor, comienza por hacer una cita. Cualquier primer paso hacia el logro de ese objetivo será más fácil de completar. Permíteme ser clara: no estoy promoviendo la adicción al trabajo. No te estoy sugiriendo que trates de ser productivo cada minuto de cada día. Necesitas tiempo de inactividad: tiempo para divertirte, para estar con amigos, para dormir, o solo para ser tú mismo. Desconectar tu mente de tanto en tanto crea espacio para epifanías creativas. Cuando meditas, caminas o corres afuera, juegas con tus mascotas, escuchas música, te sientas con la naturaleza o te meces en un porche, abres la puerta para que tu intuición te guíe a un nuevo mundo de posibilidades. (Yo recibí la inspiración para este libro mientras estaba sentada en un parque observando los árboles. Ese momento único de tiempo no estructurado me mostró mi vocación y cambió mi vida). Los tiempos no estructurados son muy beneficiosos. A veces, se abren naturalmente, y otras veces, necesitas programarlos en tu calendario.

Yo he practicado diferentes técnicas de manejo del tiempo por años, por lo tanto, sé lo que funciona para mí. Quiero que tengas una caja de herramientas de estrategias para que puedas construir un futuro más brillante para ti mismo. Encontrar lo que funcione para ti llevará algo de experimentación, pero el esfuerzo bien vale la pena.

---

26. Actividades

Algunas de las lecciones más importantes en la escuela de la vida tienen que ver con manejar el tiempo de forma efectiva. Si quieres mejorar en este aspecto, prueba estas actividades:

1. *Identifica por lo menos una meta en tu vida que te motive a aprender nuevas técnicas de manejo del tiempo. ¿Qué sirve como una recompensa lo suficientemente grande para hacerte querer cambiar?*
2. *Escribe las técnicas de manejo de tiempo en las que ya seas bueno. (Si sabes que funcionan para ti, a veces puedes encontrar nuevas formas de*

aplicarlas, especialmente en áreas problemáticas o con metas más desafiantes).

3. *Elige una de las diez técnicas y experimenta con ella en tu propia vida. Practica usarla en diferentes situaciones para que te dé una buena oportunidad de ver si funcionará para ti.*

4. *Haz un compromiso continuo de permitir que el tiempo sea tu maestro. Déjalo instruirte en qué técnicas usar y cómo obtener el mayor beneficio del tiempo que tengas disponible. Tu vida puede llegar a ser dramáticamente más rica y satisfactoria debido a ello.*

La postergación

Casi todo mundo posterga en algún grado. Quizá son bien capaces de mantenerse al día en el trabajo, pero arrastran los pies cuando se trata de su vida social. O tal vez están al día en cuanto a sus responsabilidades con tareas del hogar, como pagar cuentas, pero son negligentes con ciertos aspectos de su salud. La mayoría de la gente tiene áreas en sus vidas donde a veces (o regularmente) decaen.

Por lo tanto, ¿qué es la postergación? Es cuando alguien tiene algo que necesita hacerse, pero continúa aplazándolo, aunque tenga el tiempo (o pudiera hacer el tiempo) para hacerlo. Es el síndrome de «mañana»—la idea de que puede esperar hasta mañana, aunque necesite hacerse hoy. Amigo, si sabes de las técnicas de manejo de tiempo y no las usas, a pesar de las reiteradas consecuencias negativas de tus retrasos, puede que seas un desidioso empedernido como lo era yo.

Cuando toco el tema de la postergación en conversaciones

casuales, las personas a menudo sonríen, ponen los ojos en blanco y bromean acerca de sus propios problemas. Y yo tengo historias divertidas que contar acerca de mis propias travesuras. Pero la postergación problemática es una cuestión seria que algunas veces resulta en consecuencias graves. Por ejemplo, durante una de mis clases de postergación, una joven dijo que ya no tenía vehículo. Había aplazado el pagar sus multas de estacionamiento. Las multas habían aumentado y ya no pudo pagar ni las multas ni la tarifa de confiscación para que le devolvieran su vehículo. Conozco a un esposo que aplazó el ganar una posición de poder sobre su esposa; rara vez cumplía con sus promesas. Ahora están divorciados; ella finalmente dijo basta. Y supe de dos mujeres que tenían protuberancias en sus senos, pero nunca fueron al doctor hasta que fue demasiado tarde. Perdieron la vida debido a sus retrasos.

A veces, el daño de la postergación es más sutil. Tal vez no percibas cuando te engaña y te hace pensar que estás obteniendo un buen trato, cuando en realidad te estás enfocando en trabajo improductivo y perdiendo periodos críticos de tiempo. Puede que no estés consciente de que está erosionando tus oportunidades, evitando que desarrolles tu potencial, y arrebatando tus sueños. La postergación también puede ocultarse en las sombras a medida que va socavando tu autoestima. Necesitas sentirte bien acerca de ti mismo. Necesitas sentirte confiado en la manera en que te manejas a ti mismo y tu tiempo. Y si no estás poniendo atención, la postergación puede arrebatar todo eso.

La postergación es como un collar que tiene muchos nudos que necesitan ser desenredados. A veces, se requiere un esfuerzo enfocado para entender todas las consecuencias positivas y negativas; lleva paciencia desatar todos los nudos.

Pero una vez que lo haces, es probable que tu postergación en esa área no regrese. Y la excelente noticia es que puedes usar estos mismos pasos para cambiar cualquier mal hábito.

Por lo tanto, para romper un patrón de postergación, necesitas abrir bien los ojos. La conciencia y observación propia son cruciales si deseas atrapar a este ladrón y recobrar el control de tu vida. Aquí te presento algunas sugerencias:

1. Identifica dónde postergas.

Puede que tengas un par de áreas en tu vida donde postergas (la mayoría de la gente las tiene). Por ejemplo, quizá eres bueno para mantenerte al día con tus obligaciones familiares, pero a veces luchas por mantenerte conectado con amigos. O quizá te haces cargo de tus finanzas a tiempo, pero postergas las cuestiones de cuidado personal. Haz una lista de las áreas donde estás postergando. Quizá te sea útil pensar acerca de categorías extensas donde puedas tener problemas: casa, trabajo, escuela, cuidado personal (incluyendo salud), relaciones sociales, y finanzas. Identificar las áreas donde postergas es una forma excelente de comenzar a lidiar con tus problemas.[48]

2. Haz una lista de las consecuencias de tu postergación.

Pasan cosas buenas y malas cuando postergas—lo que puede dificultar el romper con los malos hábitos. Por lo tanto, de la lista que hiciste en el punto anterior, elige un área donde postergues y apunta todas las consecuencias positivas y negativas en las que puedas pensar. Digamos que elegiste pagar las cuentas: una consecuencia positiva puede ser que tu postergación te ayuda a evitar sentirte ansioso, especialmente si el dinero es escaso. Una consecuencia negativa es que los pagos tardíos afectan tu crédito. Nota que tus consecuencias positivas y negativas pueden ser tanto internas (evitar la ansiedad) como externas (historial del crédito dañado).

3. Decide si tu postergación es cómoda o problemática.

La postergación toma dos formas diferentes: *la postergación cómoda*, que no tiene consecuencias negativas; y la *postergación problemática*, que sí tiene consecuencias negativas. Por ejemplo, puede que necesites limpiar tu garaje, pero esperar hasta más tarde no causará ningún resultado negativo. No obstante, si no pagas tus cuentas a tiempo, se te cobrará una cuota por retraso. O si arrastras los pies cuando lidias con cuestiones de salud, tu vida podría estar en peligro.

Mira tu lista de consecuencias positivas y negativas. Si tu lista incluye varias consecuencias que tienen un impacto significativo en tu vida, tu postergación es problemática. Pero si tus consecuencias son principalmente positivas, puede que estés lidiando con una postergación cómoda.

4. Determina si estás postergando o estás demasiado comprometido.

Pregúntate si es humanamente posible para ti hacer todo lo que estás tratando de hacer. ¿Son tus listas de cosas siquiera realistas? Es importante ser honesto contigo mismo aquí. Yo solía trabajar con estudiantes que habían sido descalificados de la universidad por tener bajas calificaciones. Tenían que reunirse conmigo para presentar una descripción de las cosas que harían de forma diferente si se les permitiera regresar a la escuela. Muchos de los estudiantes con los que me reuní estaban estudiando negocios, yendo a la escuela tiempo completo y trabajando de 20–30 horas a la semana; algunos también tenían responsabilidades familiares. Los estudiantes que vi eran altamente capaces y podían completar fácilmente el trabajo en sus clases, pero solo si se dedicaban el tiempo suficiente. No estaban postergando; estaban demasiado comprometidos. No tenían suficiente tiempo para completar las tareas del curso. Esos estudiantes tenían que ir a la escuela medio tiempo, reducir sus horas de trabajo, o alguna combinación de ambos. No podían mantenerse al día con todas sus responsabilidades y obtener las calificaciones requeridas para una licenciatura en negocios. Si estás demasiado comprometido, delega algunas de tus tareas, aplaza algo para más tarde o encuentra otras formas de reducir tu carga. El sobrecompromiso y la postergación pueden verse igual, pero cada uno requiere una solución diferente. Con el sobrecompromiso, puede que simplemente necesites recortar tus obligaciones. La postergación, por otro lado, puede ser más complicada de resolver.

5. Identifica la causa subyacente.

Un comportamiento que no se refuerza decaerá y desaparecerá. Si eres alguien que tiene problemas con la postergación, encuentra la recompensa que refuerza tu conducta. Trata de ser honesto contigo mismo, incluso si no te gusta lo que descubres. Quizá tengas varias recompensas—las cuales pueden incluir las consecuencias positivas que identificaste anteriormente, o pueden ser más profundas. Aquí están algunas posibilidades:

- Tienes miedo al fracaso. Puedes evitar tus metas de forma intencional o sin intención para protegerte a ti mismo de la posibilidad de fallar: si nunca lo intentas, nunca tendrás que descubrir que tal vez no estés a la altura. Y una variación de este miedo involucra el perfeccionismo: no intentas porque cualquier cosa menos que la perfección se sentiría como un fracaso.
- Tienes miedo al éxito. Puedes tener miedo de tener que atenerte a criterios más estrictos después de triunfar, y no puedas satisfacer esos criterios. Puede que también le tengas miedo a los tipos de cambios que ocurren

178

después del éxito. Por ejemplo, a la gente solo le caerás bien por tu éxito, no por quién eres como individuo. O serás lanzado a un mundo de incertidumbres atemorizantes, que parecen reales en tu imaginación.

- Disfrutas de la emoción e intensidad que la postergación crea en tu vida. (Yo lo hice, lo cual me generó una adicción a la adrenalina).
- Estás aburrido. La postergación puede ser un gran antídoto para el aburrimiento. Puedes crear, dirigir y protagonizar tu propio drama. Desafortunadamente, los dramas personales se convierten en una pérdida de tiempo y energía innecesaria.
- Te gusta tener un sentido de poder personal. (Esta era una de mis más grandes recompensas. Me sentía como una súper mujer cuando postergaba y luego, milagrosamente, lograba cumplir con mis fechas límites justo a tiempo).
- Te gusta tener poder y controlar a otros (como yo lo hacía cuando llegaba consistentemente tarde a las reuniones). Negar o retrasar tus promesas a otras personas puede hacerte sentir como si estuvieras obteniendo la ventaja, pero es irrespetuoso y puede causar conflictos mayores en tus relaciones.
- Te sientes sin motivación para completar una tarea, por lo tanto, dilatas a la hora de llevarla a cabo. O crees que deberías esperar hasta que te sientas inspirado, algo que tal vez nunca pase.
- Trabajas mejor bajo presión—o al menos eso te dices a ti mismo. Sí, es verdad que las fechas límite pueden generar una energía y motivación repentina para completar una tarea, pero es una forma estresante de hacer tu trabajo. Y frecuentemente no dejas tiempo suficiente para verificar la calidad de tu trabajo y hacer revisiones finales, por lo tanto, sacrificas calidad.

- No sabes cómo completar una tarea, o es inusualmente difícil o compleja. Te sientes intimidado, incapaz e incompetente, por lo tanto, evitas la tarea y las emociones que conlleva.
- No tienes la energía para hacer algo, por lo tanto, los pospones hasta más tarde. La fatiga y el agotamiento pueden ser auténticos problemas, que necesitan ser abordadas de forma separada.
- Eres perezoso y no quieres gastar la energía requerida para hacer algo. O te distraes fácilmente y no puedes encontrar formas de eliminar o distanciarte de las distracciones. Y a veces, piensas con rebeldía: *Resiento tener que hacer esto, por lo tanto, esperaré hasta que sienta ganas de hacerlo.*
- Tienes creencias irracionales que pueden remontarse a la primera vez que postergaste. ¿Recuerdas la primera vez que postergaste algo? Tal vez fue cuando eras niño o quizá fue una experiencia de más tarde en tu vida. ¿Cuáles fueron las consecuencias? ¿Cómo te sentiste? ¿Hubo alguna recompensa? ¿Qué aprendiste como resultado de esa primera experiencia de postergar algo? A veces puedes identificar las recompensas de tus tardanzas al repasar la primera vez que pasó—especialmente, si tienes un historial de postergación. Las lecciones que aprendes de esas experiencias frecuentemente crean creencias irracionales, las cuales forman la base de tu patrón de crear resultados negativos.

6. Reemplaza las recompensas nocivas de tu postergación con otras saludables.

Esta es una de las formas más rápidas de detener la postergación problemática. Por ejemplo, si te estás protegiendo del fracaso o el éxito, aprende a tomar riesgos calculados hacia tus metas con pequeños pasos graduales. Observa qué pasa, luego decide tus próximos pasos estratégicos. Si necesitas más pasión o motivación en tu vida, encuentra nuevos retos que te hagan ampliar y crecer. Establece metas con las que te emociones, en las que creas y disfrutes. Si no sabes cómo hacer algo, aprende. Dominar una nueva habilidad es altamente satisfactorio, y es algo que llevarás por el resto de tu vida. Aprender a detener la postergación es en sí una nueva habilidad que conlleva sus propias recompensas integradas, y asegura éxito en metas futuras.

7. Piensa acerca de por qué quieres dejar de postergar.

¿Cuál es tu motivación? Recuérdate por qué quieres dejar de postergar. Por ejemplo, si postergas en seguir en contacto con amigos, piensa acerca de qué tan propicio se siente mantener esas relaciones cercanas y cómo te ayudan a crecer y a disfrutar de la vida.

8. Pregúntate qué pasará si dejas de postergar.

Cada vez que cambies tu comportamiento, encontrarás consecuencias positivas y negativas—y es por ello que quizá estés arrastrando los pies. Quieres evitar lo que imaginas que serán consecuencias negativas si dejas de postergar. (Por ejemplo, tal vez tengas miedo de que, si triunfas, la gente estará celosa o pedirá demasiado de ti). Necesitas identificar esos miedos, los cuales pueden ser reales o no.

9. Empieza con algo fácil.

Comienza por hacer algo simple para lograr tu tarea o meta (por ejemplo, hacer una llamada telefónica o escribir un correo electrónico). Esto puede romper el patrón de resistencia.

Otra idea es establecer un contrato de tiempo contigo mismo: ponte de acuerdo en pasar cinco minutos para completar tu tarea, prometiéndote a ti mismo que puedes detenerte después de cinco minutos si quieres. A menudo, esos cinco minutos son los más difíciles que enfrentas al empezar. Por lo tanto, si puedes, haz cinco minutos, luego otros cinco, y otros más hasta que la energía de la tarea se ponga en marcha para impulsarte hacia adelante.

10. Encuentra apoyo externo.

Pide a amigos o familiares que te mantengan responsable con respecto a la consecución de tus metas. Promete rendir cuentas a alguien acerca de tu progreso. Lee libros o artículos en línea acerca de la postergación. Trabaja con un mentor personal, consejero o terapeuta profesional. Haz lo que sea que pienses que podría ayudar. Yo desaté los nudos de mis malos hábitos cuando enseñé una clase de postergación porque me forzó a aprender más acerca de ello.

11. Entiende que la postergación puede ser un mensaje de que no se supone que hagas algo.

Tus retrasos podrían ser tu intuición tratando de crear una barricada para evitar que te dirijas hacia la dirección incorrecta. Si una tarea parece particularmente difícil de completar, detente y examina si necesitas hacerla en absoluto. Tal vez necesites esperar o abandonarla completamente.

12. Usa técnicas de manejo del tiempo y de establecer metas.

A veces puedes autocorregir tu postergación al completar los pasos previos. Y a veces necesitas usar las técnicas de manejo de tiempo para detener tus retrasos innecesarios. Sin embargo, si estás lidiando con un área de postergación problemática que es resistente al cambio, usa tanto las técnicas de manejo del tiempo previamente abordadas y las técnicas de establecimiento de metas cubiertas en el siguiente capítulo hasta que descubras qué funciona para ti.

---

27. Actividades

Si no tomaste el tiempo para revisar y poner a prueba los 12 puntos anteriores, te sugiero que lo hagas ahora. Haz una lista de tus áreas de postergación. Luego, elige una técnica para probar. Dale una oportunidad justa para ver si es efectiva. Sigue probando diferentes técnicas hasta que te logres dominar tu comportamiento o hasta que cualquier postergación remanente no tenga consecuencias negativas. Identificar las causas subyacentes y las recompensas integradas (#5 anterior) frecuentemente proporcionará un atajo para ganar control y confianza con respecto a cómo usas tu tiempo. Puede que necesites seguir todas las sugerencias para romper hábitos a largo plazo, o acudir a un profesional. No dejes que la postergación te prevenga de honrar tus valores o lograr tus metas.

Las creencias limitantes

Mientras escribía este libro, descubrí una creencia limitante que no sabía que tenía. En cuanto comencé esta sección, mi escritura bajó un poco y dejé de escribir con ese ritmo frenético como lo había hecho. Los pensamientos negativos inundaron mi mente. ¿Estaba postergando? ¿Estaba siendo perezosa? ¿Acaso mi habilidad de hacer las cosas había desaparecido de repente? Normalmente no pienso así, por lo tanto, supe que necesitaba tomar un descanso para descifrar qué estaba pasando. Fui a mi computadora y comencé a escribir lo que fuera que me viniera a la mente (también conocida como una escritura de flujo de conciencia). Escribí cuatro páginas a un solo espacio de pensamientos imprevistos antes de que mi creencia limitada apareciera—un pensamiento enterrado por años en los rincones oscuros de mi mente subconsciente:

> *Tengo miedo de que, si el libro es un éxito, me hará arrogante y ególatra y me convertirá en una persona prepotente. Deshará mi progreso en conectarme con mi ser auténtico. Estoy más feliz ahora porque mi enfoque está en ayudar a otras personas. Tengo miedo de que me hará retroceder. De hacerme egoísta. De volverme más egocéntrica.*

¡Caramba! ¿De dónde había venido eso? Pensé que había resuelto la mayoría de mis creencias limitantes. Me conmocioné—y me sentí avergonzada. Qué presuntuoso era pensar que el libro sería recibido con semejante éxito. Millones de libros se publican en los Estados Unidos cada año, por lo tanto, las probabilidades que yo enfrentaba eran astronómicas. Y ¿cómo había pasado por alto este temor de éxito en mi vida? Había pasado años trabajado en mis problemas de postergación. Había enseñado clases sobre cómo el miedo al éxito resultó en retrasos innecesarios. Pero nunca había visto al temor de llegar a ser más egocentrista como una versión del miedo al éxito. No obstante, tenía sentido. Alguna de las personas más buenas que alguna vez podrías conocer llegan a ser exitosas en su campo y cambian debido a eso, y no en buenas maneras. Por lo tanto y sin saberlo, yo había estado temiendo de que el éxito me hiciera presumida y con afán de protagonismo. Tenía miedo de que desviara mi enfoque de ayudar a otros. Con razón me había sentido como si estuviera manejando con un pie sobre el acelerador y otro sobre el freno a la hora de escribir.

Las creencias limitantes pueden crear conflictos alrededor de tus metas. Estos conflictos pueden causar ambivalencia y tensión en cualquier dilema de estira y afloja, y puedes tomar un paso para adelante y dos para atrás. O puedes dejar de trabajar por completo en una meta. O peor aún, puede que nunca establezcas metas en primer lugar.

¿Qué son las creencias fundamentales?

Las creencias fundamentales son pensamientos que crees que son verdaderos acerca de ti mismo; más allá de que sean verdaderos y de que otra gente te percibe de esa manera, son la esencia de cómo te ves a ti mismo. Las creencias fundamentales pueden ser positivas o negativas. Por ejemplo, puedes verte como alguien valioso, amable y competente, o puedes verte como alguien indigno, no amable e incompetente.

Generalmente formas tus creencias fundamentales en una fase temprana, con frecuencia como resultado de lo que aprendes de ti mismo en la infancia. Sin embargo, también puedes desarrollar creencias que estén influenciadas por las circunstancias de la vida, traumas y experiencias. Una vez que decides en cuanto a tus creencias fundamentales, a menudo continúas creyendo que son verdaderas, sin importar la evidencia contradictoria procedente de tu ambiente.

Yo solía aconsejar a estudiantes que tenían una baja autoestima. Sin importar cuánto éxito lograran o cuánta gente expresara su admiración por ellos, los estudiantes todavía se veían como indignos. Se aferraban a sus creencias a pesar de opiniones contrarias, y sus percepciones creaban lo que ellos experimentaban como una realidad. Ese es el peligro con las creencias fundamentales limitantes: crees con certeza absoluta que algo es verdad. Y esa certeza a menudo llega a ser una profecía autorrealizadora. Crees que pasará; actúas como que pasará, y, he aquí, sí pasa—lo cual demuestra que tenías razón desde un principio. Y esa prueba puede fortalecer tus otras creencias fundamentales sin tú saberlo. En tu mente, tus creencias fundamentales no son solo posibilidades; son hechos.

En mi experiencia, he descubierto que mucha gente tiene cinco o seis creencias limitantes que cargan por años, tales como:

- No soy tan bueno como otras personas. No estoy a la altura.
- Sin importar cuánto me esfuerzo, no puedo triunfar.
- Soy estúpido, feo, gordo, perezoso, demasiado joven, demasiado viejo, débil, no puedo cambiar (esta lista puede ser interminable).
- Las personas no me amarán si saben quién soy realmente. Debo impresionarlas al tratar de ser alguien que no soy.
- Siempre me rechazan en mis relaciones. No puedo mantener relaciones a largo plazo.

Estos tipos de creencias fundamentales deben ser sacadas a la luz al enfocar la conciencia hacia los rincones y grietas de la mente subconsciente donde viven.

Otras creencias limitantes

Además de tus creencias fundamentales, tienes creencias adicionales que te obstaculizan y previenen rendir y alcanzar tu máximo potencial. Algunas de estas creencias (como reglas familiares o expectativas) proceden de experiencias de la infancia al crecer con tu familia.[49] Estas reglas—y cada familia las tiene—rara vez se mencionan o se habla de ellas; no hay por qué hacerlo. Aun cuando eras niño, ya sabías cuáles eran. Las reglas familiares insalubres pueden causar problemas, tanto en el momento como más tarde:

- Haz lo que digo, no lo que hago.
- Eres justo como fulanito (otro miembro de la familia). Nunca llegarás a nada.
- Sigue las reglas. No hagas olas.
- Eres el hermano/hermana mayor; tus necesidades no son tan importantes como las necesidades de tus hermanos menores.
- Necesito hacer eso por ti. No creo que tú seas capaz de hacerlo tú mismo.

Las familias disfuncionales, incluyendo aquellas con adicciones al alcohol o las drogas, con frecuencia tienen reglas familiares comunes. Claudia Black, autora de *It Will Never Happen to Me* (A mí nunca me sucederá), identifica tres reglas que suelen presentarse en las familias disfuncionales.[50] ¿Alguna de estas suena familiar?

- **No hables.** No es seguro hablar acerca de cuestiones reales. No menciones que mamá se ve deprimida y papá toma demasiado.
- **No confíes.** No es seguro confiar en otras personas de la familia para que estén allí para ti. No puedes confiar en otros para cuidarte o mantener sus promesas.
- **No sientas.** No es seguro sentir lo que estás sintiendo. Es mejor ignorar tus emociones. Además, nadie te escuchará; nadie te dará cariño si estás enojado, y nadie te comprenderá.

Tú también puedes aprender creencias limitantes de nuestra sociedad, tales como: «Los niños no lloran» y «Las niñas no son buenas en matemáticas». Yo crecí en el sur de los EE. UU. donde hay una fuerte ética de trabajo. Una cosa que oí repetidamente cuando niña era: «La pereza es la madre de todos los vicios». Miro hacia mi pasado y pienso que ese mensaje cultural probablemente contribuyó a mi adicción al trabajo.

Luego están las creencias limitantes que proceden de los términos absolutos como *deberías, debes, siempre* y *nunca* que oyes de muchos lugares:[51]

- Deberías ser perfecto.
- No deberías fallar. Si fallas, no lo admitas. Debería darte pena cualquier fracaso.
- Debes ser racional y lógico todo el tiempo. No seas demasiado emocional.
- Debes caerle bien a otros, y si no, hay algo mal contigo.

Hay creencias adicionales que vienen de tus experiencias:

- Soy el pacificador de la familia (o el chico silencioso, el payaso, o la oveja negra).
- No está bien ser demasiado poderoso.
- No debes eclipsar a otras personas a tu alrededor.

Cuando observas todas las formas en que puedes adquirir creencias nocivas, es una maravilla que funciones lo bien que lo haces. ¡Qué testimonio de tu resistencia! Pero ahora puede ser el momento de liberarte de cualesquiera creencias problemáticas persistentes y abrir la puerta a nuevas posibilidades.

Cómo identificar tus creencias limitantes

Cuando identificas tus pensamientos negativos, tomas un paso enorme hacia cambiarlos, porque ahora tú sabes con lo que estás lidiando. Si tus creencias continúan estando al acecho en tu mente subconsciente, a menudo estás estancado preguntándote por qué sigues actuando en ciertas formas o por qué las cosas siguen saliendo como lo hacen. E identificarlas no es difícil—lo que es una buena noticia para el proceso de desaprender. A veces aparecen solos cuando creas un espacio para que eso pase. Cuando quedaba estancada y comenzaba a escribir pensamientos espontáneos procedentes del flujo de conciencia, mi creencia limitante aparecía.

Las siguientes son formas de identificar tus creencias limitantes:

1. Identifica problemas.

Observa las áreas problemáticas en tu vida y pregúntate: *¿Tengo pensamientos o creencias que puedan estar contribuyendo a estos problemas? También puedes preguntarte: ¿Cuál es la lección que necesito aprender?*

2. Lluvia de ideas.

Escribe todas las creencias negativas en las que puedas pensar, incluso si parecen extravagantes o tienen poco sentido. No juzgues o cuestiones tus creencias; solo escríbelas. Puedes regresar y evaluarlas más tarde. Si no puedes pensar en ninguna propia, júntate con un amigo en quien confíes o un pequeño grupo y piensen juntos. A veces, las creencias mencionadas por otros te harán recordar más de las tuyas.

3. Usa la intuición.

Pide a tu intuición que te ayude a identificar creencias que son problemáticas.

4. Prueba la visualización.

Haz el ejercicio de visualización en el Apéndice B y pide a tu guía interior que te muestre tus creencias limitantes.

5. Escribe un diario.

Mantén un diario de tus pensamientos y escribe en él regularmente. Busca temas en tus pensamientos que pudieran señalar creencias problemáticas subyacentes.

6. Obtén más información.

Averigua más sobre las creencias limitantes. Lee libros o artículos en línea.

7. Observa.

Adopta el papel de un testigo u observador y examina tus pensamientos en acción. Toma nota de cualquiera que sea problemático o te haga sentir incómodo.

---

28. Actividades

Revisa los métodos para identificar creencias limitantes. Selecciona uno e inténtalo. Si no funciona, intenta otro método. Sigue explorando métodos hasta que encuentres uno que te ayude a poner tus creencias negativas en papel. Es importante desenterrar las creencias que te limitan. El escribirlas disminuye su poder sobre ti, porque entonces ya sabes con lo que estás lidiando. Busca creencias limitantes en varias áreas:

1. *Creencias fundamentales de no ser digno, amable o competente.*
2. *Reglas familiares que se enfocan en lo que se esperaba en tu familia cuando ibas creciendo (por ejemplo, no hables, no confíes, no sientas).*
3. *Los «deberías» de la sociedad (por ejemplo, «Deberías ser lógico todo el tiempo» y «Deberías agradar a todos»).*
4. *Las creencias limitantes que vienen de tus*

experiencias (por ejemplo, «A la gente solo le agrado cuando soy gracioso» o «Mi función en las relaciones es cuidar de la otra persona»).

Cómo cambiar las creencias limitantes

Durante una crisis presupuestaria en el trabajo, se me pidió que asumiera tres trabajos. Era absolutamente imposible que lograra hacer todo, por lo tanto, traté de cubrir los aspectos más críticos y esperé que nada mayor quedara al margen. Me sentía abrumada. Debido a que dos de los trabajos eran nuevos, fue difícil priorizar mis responsabilidades. A veces, mi mente corría tan rápido con todas las cosas en mis listas de cosas por hacer que me paralizaba y no podía hacer nada en absoluto. Por suerte, tenía mi meditación: podía observar mis pensamientos apresurados y observarme a mí misma a medida que me sentía abrumada. Cada vez que me notaba nerviosa, me preguntaba: *¿Esto es útil?* Y por supuesto, la respuesta era: *No.*

El hacer y responder esa pregunta rompió mi ciclo negativo. Me llevó de regreso al momento presente y me permitió descifrar la siguiente cosa que necesitaba hacer. Me di cuenta de que mi parálisis se debía a una creencia limitante que decía: «Esto es demasiado para mí». Sí, era mucho. Pero mientras me mantenía enfocada, podía lograr hacerlo.

Amigo, la conciencia es una herramienta poderosa para cambiar pensamientos negativos. Si estás poniendo atención en la escuela, tendrás una oportunidad de atrapar tu pensamiento improductivo en cuanto ocurra. Quizá no estarás consciente de los pensamientos mientras los pienses, pero a veces puedes dar marcha atrás y descifrar los pensamientos al notar tus emociones incómodas o comportamiento inadecuado.

Mi parálisis temporal y mis emociones inquietantes me anunciaron que mis pensamientos me estaban estancando. Por lo tanto, además de llegar a estar más consciente de cuando tus creencias limitantes te están obstaculizando, prueba estas sugerencias para cambiarlas:

1. Usa la lógica para cuestionar si tus creencias son realistas.

¿Tienen sentido? Una vez que estén sobre la mesa y las examines, tal vez descubras que ni siquiera crees que son acertadas. El ver que una creencia específica no es acertada puede rápidamente quitarle su poder. Si la creencia sigue regresando, recuérdate en cada ocasión que no es realista y entrénate para dejarla ir.

2. Completa el formulario para controlar pensamientos en el Apéndice D.

El control de pensamientos es una técnica simple para cambiar creencias limitantes. Primero, te ayuda a identificar los pensamientos negativos que están limitando tus opciones y te mantienen estancado. Y segundo, te ayuda a encontrar pensamientos contrarios que sean positivos y realistas. No quieres que tus pensamientos negativos tengan la última palabra; necesitan ser desafiados y desarraigados. Por lo tanto, cuando te das cuenta de que estás cayendo en una mentalidad negativa, reemplázala con pensamientos positivos—ya sea silenciosamente o en voz alta. Esto lleva práctica, pero con el tiempo, el reemplazar los pensamientos negativos con los positivos se convertirá en algo automático. Los pensamientos negativos pierden su fuerza y te quedas con los pensamientos positivos y estimulantes que te ayudan a avanzar.

3. Mantén un diario

Mantén una bitácora de tus pensamientos limitantes y

aprende a reemplazarlos con pensamientos que sean más positivos y realistas (ver Apéndice D). El escribirlos te ayuda a recobrar tu poder. Continúa usando tu diario como una herramienta hasta que los pensamientos negativos pierdan su habilidad de controlarte.

4. Identifica tus fortalezas

Haz una lista de las cosas que haces bien. Recuérdate a ti mismo de tus fortalezas cuando tus creencias limitantes te obstaculicen. Usa afirmaciones; practica decir cosas positivas acerca de ti mismo.

5. Usa la visualización

Pregúntate: *¿Cómo sería si ya no estuviera controlado por esa creencia, si fuera libre de ser mi yo auténtico, saludable, seguro y competente?* También pregunta: *¿Cómo se sentiría eso?* Practica visualizar tu resultado óptimo.

6. Fíngelo hasta que lo logres

Actúa *como si* fueras libre de vivir tu autenticidad. Hay un poder sorprendente en el dicho: «Fíngelo hasta que lo logres». Porque cada vez que actúas *como si pudieras hacer algo,* estás preparando el escenario para repetir tu conducta. Estás creando conexiones neurológicas en tu cerebro que te facilitan volver a repetir ese comportamiento. Por lo tanto, si tu creencia limitante es creer que eres demasiado viejo para hacer algo, actúa como si no lo fueras y hazlo de todas maneras.

7. Trabaja con un profesional

Algunas de tus creencias quizás estén bien escondidas, o quizá sean obstinadas y resistentes al cambio. Frecuentemente, las aprendiste para protegerte a ti mismo; por lo tanto, puede que te hayan mantenido seguro en el momento, y quizá crees que todavía lo hacen. De tanto en tanto, puedes necesitar la ayuda de un profesional entrenado para ayudarte a llegar a la raíz de la creencia y hacer los cambios que necesitas.

Las creencias limitantes son una de las zonas más peligrosas que recorres a través de la escuela de la vida. Afectan tus pensamientos conscientes y subconscientes, tu conducta, tus emociones y tu autoestima—las cuales son las formas en las que piensas y te sientes acerca de ti mismo. Estas creencias se convierten en tu guion en la historia que cuentas acerca de ti mismo. Y sí, tú tienes una historia de vida. A veces te favorece, y otras veces, existen partes de tu historia que reflejan creencias erróneas y anticuadas que necesitan ser desarraigadas, examinadas y cambiadas para adaptarse a la persona que naciste para ser y la vida que naciste para vivir. La buena noticia es que siempre puedes reescribir tu guion. Nunca es demasiado tarde para cambiar tu historia.

---

29. Actividades

Corregir tus creencias limitantes se lleva valentía y trabajo, pero los resultados valen la pena el esfuerzo. Intenta estos pasos:

- *Identifica una creencia problemática. Repasa las creencias limitantes que identificaste en la actividad anterior. Quizá esté relacionada con el dinero o las relaciones. Quizá tenga que ver con tu carrera; no puedes encontrar o mantener un trabajo satisfactorio. Sea lo que sea, enfoca tu luz de conciencia sobre ella y sácala a la luz donde puedas trabajar con ella.*
- *Escoge un plan para desaprender tu pensamiento problemático. ¿Quieres trabajar en ello tú mismo o le preguntarás a alguien más (un amigo confiable*

o un profesional entrenado) que te ayude? Lee esta sección otra vez y desarrolla un plan de acción. Yo frecuentemente comienzo por escribir pensamientos del tipo flujo de conciencia sobre cómo superar mi creencia limitante. El hacer esto suele guiarme hacia alguna acción específica que puedo tomar.

- *Sigue adelante con tu plan.*
- *Deshace los límites de tus creencias problemáticas al aprender nuevas formas de pensar y actuar. Esto llevará práctica y tiempo—tiempo para desenmarañar las diferentes capas de cómo el pensamiento incorrecto te ha afectado, y tiempo para cambiar tus conductas relacionadas con dicho pensamiento.*
- *Monitorea continuamente si tu plan está funcionando o no. ¿Estás viendo cambios positivos en tu área problemática? Una vez que identifiqué mi creencia limitante acerca del éxito potencial de este libro, comencé a escribir otra vez—ese mismo día. Y lo disfruté, lo que fue otra señal de que tuve un avance. Sin embargo, a menudo se requiere más de un día para ver un cambio en la situación, por lo tanto, sigue con ello.*
- *Sigue repitiendo los cuatro pasos de arriba hasta que superes una por una las otras áreas de tu vida. Es muy probable que tengas un montón de creencias negativas que te siguen haciendo tropezar (la mayoría de la gente las tiene). Por lo tanto, proponte desaprender esas convicciones, y luego reemplázalas con alternativas más saludables.*
- *Sé amable contigo mismo. Tal vez llevas años viviendo con tus creencias negativas. El cambio lleva tiempo. Solo sigue avanzando. No permitas que las creencias limitantes te impidan tener la vida de gozo y la abundancia que mereces.*

Lecciones de vida para lograr el éxito

Capítulo 9

Continuar creciendo

Desarrollar un estilo de vida que incremente tu curva del aprendizaje

Los estudiantes universitarios con los que trabajé por más de 25 años fueron algunos de mis mejores maestros. Me recordaron que muchos de los caminos de la gente a través de la escuela de la vida son parecidos. Debido a su honestidad y vulnerabilidad, aprendí que todas las personas han sido heridas, y todos tienen problemas—incluso aquellos que por afuera se ven perfectos. Muchos encuentran mecanismos de adaptación—formas de bloquear el dolor, los miedos y las dudas—por ende, aun *ellos mismos* tal vez no sepan que están allí, enterrados en su interior. Lo mismo puede ser muy cierto para ti, amigo. Aunque tu dolor interior y tus miedos puedan pasar inadvertidos, frecuentemente se hacen obvios cuando haces cambios en tu vida. Esas cuestiones son como equipaje que llevas a través de tu vida. Estás acostumbrado al peso—a como son las cosas—por lo tanto, son normales para ti. Pero cuando haces cambios que desencadenan esos problemas internos, ellos pueden salir al primer plano, deshonrándote y saboteando tus planes.

Puesto que tu equipaje emocional puede hacer que cualquier cambio significativo sea difícil, es importante primero hacer otros tipos de cambios en tu vida, unos que sean más fáciles de realizar. Estos cambios más fáciles pueden minimizar los obstáculos que les impiden a tus esfuerzos de asumir retos más demandantes. Forman elementos esenciales que pueden incrementar tu curva de aprendizaje. El poner estas otras piezas en su lugar exitosamente puede ayudar a darte impulso y aumentar tu autoconfianza para asumir cambios más desafiantes. Puede hacer que tus metas sean más fáciles de lograr porque sueltas parte del equipaje que cargas al intentar alcanzarlas. Al lidiar con estas cuestiones y dejarlas de lado, puedes desarrollar un estilo de vida que facilite tu aprendizaje y crecimiento. Los temas que cubro en este capítulo pueden ayudarte a ser mejor como estudiante de la vida, en cada aspecto de tu vida. Pueden ayudarte a mejorar tu curva de aprendizaje e incrementar el gozo que experimentas durante tus aventuras en esta escuela metafórica. También te ayudan a crear un campo fértil donde tus metas y sueños puedan echar raíces y crecer.

Manejar el estrés

El estrés (definido como algo que impone una exigencia en alguien) es inevitable. La vida consiste en cambios, lo que significa que la vida consiste en estrés. Cada cambio, incluso uno para mejorar, causa estrés debido a las exigencias que son necesarias para acomodarlo. Creo que el estrés tiene una mala reputación. La gente está tan acostumbrada a verlo como algo negativo que no aprovechan el estrés positivo, el tipo que puede motivarlos para avanzar en la vida. El estrés positivo, como obtener un título universitario o dominar nuevas responsabilidades de trabajo, puede agregar aventura, intensidad, placer y significado a la vida. Proporciona la energía y el incentivo para abordar nuevos retos y metas.

Nivel óptimo de estrés

Todos tenemos lo que se llama un nivel óptimo de estrés, el nivel donde funcionamos mejor en un área particular.[52] Por ejemplo, algunas personas pueden necesitar un alto nivel de estrés en cómo pasan su tiempo recreacional, por lo tanto, se participan en deportes peligrosos como escalada. A otros puede que les guste relajarse con el excursionismo, la jardinería o el tejido. Conozco a personas que prosperan en un ambiente de trabajo rápido y dinámico, y otras que prefieren uno que sea más relajado y lento. La clave es saber qué cantidad de estrés es la adecuada y aprender cómo balancear los diferentes aspectos y cambios en la vida.

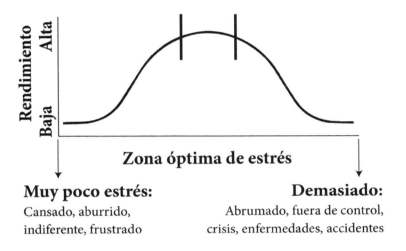

Muy poco estrés:
Cansado, aburrido,
indiferente, frustrado

Demasiado:
Abrumado, fuera de control,
crisis, enfermedades, accidentes

Un nivel óptimo de estrés te permite desempeñarte a tu máximo nivel. El diagrama anterior muestra el nivel de estrés que necesitas para alcanzar tu máximo rendimiento.[53] Si tienes demasiado poco estrés en tu vida, a menudo te sientes cansado, aburrido o frustrado. Si tienes demasiado estrés, puedes sentirte abrumado y fuera de control. También puedes enfermarte, ser más propenso a accidentes o experimentar otros tipos de crisis. La línea curva representa los niveles de estrés en relación al rendimiento. Rindes a tu máximo nivel cuando te mantienes en la parte superior de la curva, entre los dos marcadores.

---

30. Actividades

Piensa acerca de tu vida ahora. ¿Dónde te ves en la curva? Escribe una X para indicar si estás...

- *en la parte superior de la curva en tu zona óptima,*
- *del lado izquierdo, con demasiado poco estrés en tu vida, o...*
- *del lado derecho, con una sobrecarga de estrés.*

Esta simple autoevaluación te da un punto de partida para desarrollar un plan para manejar tu estrés.

La meta es permanecer en la zona de máximo rendimiento, manteniendo tu nivel óptimo de estrés. Sin embargo, la parte difícil es que tu nivel óptimo puede cambiar dependiendo de cuánto duermas cada noche, de cómo te sientas, si tienes fechas límite urgentes, o si estás teniendo conflictos en una relación. Y puesto que el estrés es acumulativo, es difícil separar las diferentes fuentes. Los factores tales como tu preocupación por el dinero o un miembro de la familia, tus temores en torno a los acontecimientos mundiales y tu frustración con no perder esas cinco libras demás se combinarán para influenciar tu nivel de estrés y dramáticamente impactar tu máximo rendimiento.

Fuentes de estrés

El estrés puede provenir de tres áreas básicas: (1) tu ambiente, (2) tu cuerpo, y (3) tus pensamientos. Los ejemplos de factores estresantes incluyen la muerte de un ser querido, un cambio de residencia, demandas de las relaciones interpersonales y dificultades financieras. Los factores estresantes fisiológicos del cuerpo incluyen tensión crónica, mala nutrición o salud y problemas de sueño. Los pensamientos que se convierten en factores de estrés incluyen la preocupación excesiva, tendencias perfeccionistas y baja autoestima. Por ejemplo, menospreciarte por no haberte desempeñado tan bien como te hubiera gustado puede ser más estresante que aceptar lo que hiciste y aprender lo que necesitas hacer diferente la próxima vez.

---

31. Actividades

Piensa en las tres cosas más importantes que están causando estrés en tu vida ahora. Escríbelas.

a.

b.

c.

La forma en que manejes tu tiempo suele estar relacionada con el estrés, por lo tanto, anota tu derrochador de tiempo número uno.

Síntomas de estrés

¿Cómo sabes si estás experimentando estrés? Yo sé que estoy estresada cuando las cosas pequeñas que generalmente no noto me irritan (por ejemplo, una persona masticando chicle, un grifo goteando, el tictac de un reloj) o cuando olvido cosas simples en las que normalmente no tengo que pensar. Si quieres manejar tu estrés, debes aprender a reconocer tus síntomas. Aunque puede que te hagan sentir incómodo, reconocer tus señales de estrés forma parte de un enfoque saludable para reducir tu estrés y desarrollar un plan de manejo del estrés. Los siguientes síntomas son respuestas comunes al estrés:

1. Síntomas físicos

- fatiga o agotamiento
- insomnio o dormir de más
- baja actividad o postergación
- hiperactividad, exceso de trabajo u una incapacidad de bajar el ritmo
- problemas de salud (por ejemplo, comer en exceso/comer de menos, dolores de cabeza, problemas digestivos)
- tiempo excesivo usando dispositivos electrónicos
- abuso de alcohol o drogas

2. Síntomas emocionales

- adormecimiento o negación emocional
- hipersensibilidad
- sentimientos de culpabilidad
- una sensación excesiva de vulnerabilidad
- el sentirse inadecuado, abrumado o fuera de control
- depresión
- impotencia
- falta de esperanza
- aislamiento emocional
- ansiedad
- miedo
- incertidumbre
- impaciencia, irritabilidad o agitación
- cinismo
- furia

3. Síntomas cognitivos

- confusión
- poca concentración
- problemas de memoria
- dificultad a la hora de tomar decisiones y resolver problemas
- pesadillas
- obsesión—una incapacidad de dejar de pensar acerca de algo
- buscar chivos expiatorios o echar culpa
- sospechas

4. Síntomas espirituales

- pérdida de significado en el trabajo
- sentido de pérdida
- falta de esperanza en cuanto a la vida en general

---

32. Actividades

Piensa en cómo experimentas el estrés. Escribe tus tres mayores síntomas de estrés, ya sean físicos, emocionales, cognitivos o espirituales.

a.

b.

c.

Conviértete en un observador; aprende a notar cuándo tienes síntomas de estrés.

La mayoría del tiempo, probablemente puedes manejar el

estrés a corto plazo. De hecho, es saludable abordar desafíos periódicamente que te impongan demandas, que te presenten pizcas de estrés, en cantidades digeribles. Pero el estrés a largo plazo puede causar estragos en tu mente y cuerpo. (Algunos estimados muestran que el 75–90 por ciento de todas las visitas al doctor son por cuestiones relacionadas con el estrés).[54] Al ponerte en sintonía con tus síntomas, tomas un paso hacia la prevención de cierta parte del estrés negativo a largo plazo que debes evitar. También, por favor nota que lo que piensas que es un síntoma de estrés, en realidad podría ser un signo de una condición médica más seria. Asegúrate de acudir a tu doctor si tienes preocupaciones.

El estrés llega a ser un problema cuando tienes demasiado poco de él (te aburres) o cuando tienes demasiado (excedes tu nivel óptimo). Suele haber una solución rápida para la escasez de estrés: siempre puedes encarar nuevos desafíos. Pero la solución para el exceso de estrés es un poco más complicada.

Muchas veces, la fuente de tu estrés es ambiental (por ejemplo, problemas de dinero, en el trabajo o en las relaciones). La psicología básica sugiere que si tus factores de estrés vienen de tu ambiente, tienes tres opciones:

1. Dejar atrás la situación.
2. Cambiar la situación.
3. Cambiar tu reacción a la situación.

Por ejemplo, digamos que tu estrés proviene de tu trabajo. Puedes renunciar o retirarte (la primera opción). Sin embargo, puede que no tengas otra fuente de ingreso. Puedes intentar cambiar la situación (la segunda opción) al reunirte con tu jefe para sugerir modificar las políticas de la compañía o la forma en que haces tu trabajo—pero incluso esas posibilidades son limitadas. O puedes elegir cambiar tu reacción a la situación (la tercera opción), la cual es la única opción que tú puedes controlar. Por ejemplo, puedes minimizar tu interacción con gente irritante o aprender a interpretar eventos en el trabajo para que no creen tanto estrés.

¿Qué tal si te estás sintiendo agobiado o abrumado, pero no puedes identificar ni una sola fuente de estrés? Este tipo de estrés general puede instalarse fácilmente en tu vida porque el estrés es acumulativo. No es una cosa en particular; es la combinación de todas las cosas con las que estás lidiando. Puedes elegir la segunda opción—cambiar la situación—al reorganizar tu vida y hacer ajustes en algún lado para que todas tus responsabilidades combinadas no te lleven más allá de tu zona óptima de estrés. Sin importar qué opción elijas, es importante contar con varias técnicas de manejo de estrés que puedas usar cuando las necesites.

Cosas para probar

1. Respira.

Cuando notes tus síntomas de estrés, toma algunos minutos para enfocarte en tu respiración—la cual, incidentalmente, es una de las formas más fáciles y rápidas de bajar los niveles de estrés. Por lo tanto, cuando necesites un descanso rápido del estrés, intenta esto: siéntate en una posición cómoda y enfócate en tu respiración. Respira más profunda y lentamente que como lo harías normalmente. Y con cada inhalación, cuenta tus respiraciones. Haz esto por varios minutos para aclarar tu mente y tranquilizarte.

2. Reinterpreta lo que sea que esté causándote estrés.

Cuando sea que te encuentres en una «mala» situación, encuentra una forma de verla bajo una luz más positiva. Por ejemplo, en lugar de ver una nueva asignación de trabajo como una fuente de estrés, piensa en ella como una oportunidad de aprender nuevas habilidades en la escuela de la vida. Proponte permitir que esa situación revele lo mejor de ti. Pon manos a la obra; deja que tu actitud y esfuerzo te ayuden a estar a la altura de la situación y a brillar.

3. Usa afirmaciones.

Cuando te sientas estresado, hay una buena posibilidad de que tus pensamientos estén empeorando las cosas, por lo tanto, pon atención a tu diálogo interno. Además de reinterpretar el evento estresante, cambia deliberadamente a un diálogo interno que te tranquilice: *Yo puedo con esto; saldré de esto lo más bien. Está bien relajarse y disfrutar del viaje.* Experimenta para encontrar lo que funcione. Puedes decirte a ti mismo estas afirmaciones en voz alta o silenciosamente.

4. Practica la gratitud.

Enfocarte en las cosas por las que estás agradecido te ayuda a poner tus problemas en perspectiva. Cuando te sientas estresado, toma tiempo para enfocarte en las bendiciones de tu vida. Hacer listas periódicas de las cosas por las que estás agradecido te ayuda a desarrollar una actitud más positiva y acometedora en cuanto a la vida. Por lo tanto, cuando la vida te lance eventos inesperados e inevitables, serás más capaz de mantenerlo todo en perspectiva.

Hay un perro en mi vecindario que a veces se pasa horas ladrando. La gente ha hablado con los dueños, y ha ayudado en algo, pero cuando no están en casa, el perro sigue y sigue, y me vuelve loca. No puedo mudarme, y no puedo cambiar la situación. Pero puedo cambiar mi reacción a lo que está sucediendo. Por lo tanto, en lugar de enojarme con el perro o sus dueños, me digo a mí misma que estoy tan contenta de que el perro tenga un hogar y no esté en una jaula o en un albergue de animales. Mi gratitud de que el perro esté bajo cuidado y no en peligro apaga mi fastidio. Y cuando esto se pone realmente molesto, me pongo tapones en los oídos.

5. Habla acerca de tu estrés con aquellos que sean comprensivos.

Busca familiares o amigos que sepan escuchar.

6. Presta atención a tu salud física.

Duerme lo suficiente, ten una dieta saludable y ejercítate regularmente.

7. Encuentra formas saludables de escapar de tu realidad.

Lee un libro, mira televisión, ve al cine, escucha música o ve a un evento de apoyo. Ten cuidado con el uso de alcohol o drogas; no abuses de sustancias como una manera de lidiar con tu estrés. También presta atención a la cantidad de tiempo que pasas con dispositivos electrónicos; pueden llegar a ser una forma no saludable de evitar situaciones que requieren de tu atención.

8. Sé feliz.

Todos los días, incluye una actividad que te haga feliz. Hacer algo que tienes ganas de hacer te ayuda a mantener una actitud positiva, lo cual es esencial para interpretar los eventos en tu vida en formas que prevengan o minimicen tu estrés.

9. Mantente ocupado.

Mantente activo, pero toma tiempo para relajarte. Las actividades que reducen el estrés físico incluyen caminar, andar en bicicleta, trotar y el yoga.

10. Haz más.

A veces, cuando tus listas de actividades se vuelven abrumadoras, hacer más puede ayudar. Sé que esto suena contraintuitivo. Pero si tengo muchas cosas que necesitan hacerse y no puedo aplazar ninguna de ellas, mi estrés se reduce cuando me pongo a trabajar y completo algunas de las que no llevan mucho tiempo. Si puedo tachar las cosas más pequeñas de mi lista, mi enfoque y energía se liberan para completar las cosas más grandes en mi lista. Además, el tachar cosas me muestra que puedo ser exitosa con respecto a hacer las cosas—lo cual aumenta mi confianza y estado de ánimo.

11. Encuentra formas de expresar tus emociones.

Ríe, llora, mantén un diario, diviértete o desahógate a través de actividades físicas o artísticas como la jardinería, limpieza, baile, dibujo o canto.

12. Averigua qué puedes cambiar y qué no puedes cambiar en tu vida.

Cambia lo que puedas, pero aprende a ver la diferencia. No gastes mucho tiempo y energía tratando de cambiar las cosas que no puedes influenciar (por ejemplo, cambiar a otras personas).

13. Usa tu tiempo de forma sabia.

Cuando sientas que tienes control de tu tiempo, te sentirás menos estresado. Por lo tanto, usa tu tiempo sabiamente y en formas que incrementen tu autoestima.

14. Aprende nuevas habilidades.

La mayoría de las personas necesitan aprender cómo bajar el ritmo. Actividades tales como la relajación, ejercicios de respiración, y la meditación pueden ayudar. Si necesitas aprender técnicas de manejo de estrés, considera tomar una clase, leer un libro o buscar recursos en línea. ¿Necesitas llegar a hacerte valer más? Aprende a decir «No» a las solicitudes de otras personas y a tu tendencia de abordar demasiadas cosas.

15. Incluye la expresión creativa en tu vida.

Lo que sea que te encante hacer y se sienta rejuvenecedor, incorpóralo en tu vida: arte, música, pasatiempos, trabajo voluntario o en la comunidad, o explorar enfoques diferentes a tu trabajo.

Recuerda que un plan de manejo saludable del estrés incluye el buscar estrés positivo en tu vida mientras incorporas actividades de reducción de estrés. Asume desafíos saludables y aparta un tiempo de descanso todos los días. No esperes hasta que lleguen tus vacaciones anuales de dos semanas para relajarte.

Desarrollar un plan de manejo del estrés.

El manejo del estrés necesita ser personalizado. Lo que pudiera ser emocionalmente expresivo para tu cónyuge para ti puede ser una técnica de evasión. También, varias técnicas pueden funcionar de forma diferente para ti en momentos diferentes. Experimenta para encontrar lo que es efectivo para ti. Escucha a tu instinto—esa voz intuitiva en tu interior—cuando te indique qué técnica sería útil, y cuándo. Es importante que sepas cómo responder al estrés.

Tu plan de manejo del estrés deberá incluir varias actividades de escape saludable (por ejemplo, dormir, ver películas, navegar en el internet) y varias formas de expresar tus emociones (por ejemplo, hablar con otros, desahogarse a través de actividades físicas, escribir en un diario). De esta forma, no llegas a ser demasiado dependiente de cualquiera de las técnicas. Si tu plan de manejo de estrés te provee formas de lidiar con tus sentimientos, eres más capaz de asimilar tus emociones un poco a la vez y manejarlas sin sentirte abrumado.

---

33. Actividades

Redacta un plan de manejo del estrés para ayudarte a lidiar y manejar mejor el estrés negativo. Elige entre las actividades bajo la sección encabezada «Cosas para probar» o algunas actividades que ya sabes que necesitas hacer. (Por ejemplo, si yo simplemente obtengo una buena noche de sueño, las cosas no me estresan tanto el día siguiente). Incluye formas de expresar tus sentimientos estresantes y formas de tomar un descanso.

1.

2.

3.

Incorpora estos cambios en tu vida diaria. El convertir tu plan de manejo del estrés en algo que hagas automáticamente es importante porque entonces podrás ser capaz de manejar ataques de estrés cuando surjan. Una vez que tu plan se convierta en un hábito, agrégale unas cuantas nuevas técnicas para manejar tu estrés. Convierte tu plan en un proceso creciente y cambiante que te ayude a ser mejor para mantenerte en tu zona óptima de estrés.

Aumentar tu energía

Si quieres llegar a ser un mejor estudiante de la vida, deberás aumentar tu energía de formas saludables. Porque cuando lo haces, aumentas tus habilidades mentales y equilibras tus emociones.

Por lo tanto, ¿qué puedes hacer para aumentar tu energía? Con los años, he desarrollado un plan que funciona para mí. Comienza con mi fundamento—cuatro pilares fundamentales que me mantienen centrada: (1) ejercicio, (2) dieta, (3) sueño, y (4) meditación. Si me equivoco con alguno de estos, mi cuerpo me avisa—lo cual me ayuda a regresar al camino. Esta fórmula funciona para mí, pero lo que mejor funciona para cualquier persona es altamente individualizado. No hay una fórmula universal para todos; por lo tanto, deberás descifrar qué necesitas hacer para sentirte genial y prosperar. Sin embargo, puedes usar estos como puntos de partida para descubrir lo que mejor funcionará para ti.

1. Ejercicio

Esto es algo esencial para mí. Toda mi actitud en cuanto a la vida mejora cuando me ejercito regularmente (por lo menos cuatro horas a la semana). Si pierdo un par de sesiones de ejercicio, me vuelvo negativa. Comienzo a ver el vaso medio vacío, lo que no es propio de mí. En cuanto noto esta negatividad, me pregunto: *¿cuándo fue la última vez que te ejercitaste?* Creo firmemente que nada puede reemplazar al ejercicio. Nada. No puedes fingir los beneficios que te da al hacer otras cosas (por ejemplo, la cafeína) Sin importar lo demás que hagas para mejorar tu salud física, no te sentirás tan bien, no tendrás tanta energía, no pensarás con tanta claridad o funcionarás tan bien sin el ejercicio. Es un elemento absolutamente imprescindible si quieres rendir y vivir a tu máximo nivel.

2. La dieta

Yo le presto atención a la nutrición porque he visto una correlación directa entre lo que como, cómo me siento y cuánta energía tengo. Con tanta información disponible sobre lo que hace una dieta saludable—y mucho de eso contradictorio—a veces es difícil saber qué comer. Es por eso que he aprendido a estar atento a lo que mi cuerpo me indica sobre lo que le gusta y lo que no le gusta. De tanto en tanto, me hago exámenes de sangre, para asegurarme que todo se mantenga en el rango saludable, y trabajo con un nutricionista. Pero aquí está el truco: encontrar una dieta óptima cae en la categoría de cambiar lecciones de vida. Lo que funcionó para mí hace cinco años, dos años o incluso seis meses quizá no sea lo que funcione mejor hoy. Me encantaría encontrar la dieta perfecta, una que no tuviera que seguir ajustando para cumplir con las necesidades de mi cuerpo a medida que cambia. Pero sé que mis lecciones acerca de una dieta sana continuarán cambiando, y acepto eso. Siempre estoy buscando la siguiente forma en la que pueda mejorar la nutrición que mi cuerpo necesita.

3. El sueño

Estados Unidos es una nación de gente privada del sueño. Estudios recientes provenientes de los Centros para el Control y Prevención de Enfermedades muestran que 35 por ciento de los adultos obtienen menos que las siete horas de sueño recomendadas por noche.[55] Los estudios también muestran que hasta una sola noche de muy poco sueño puede afectar el estado de ánimo, memoria, motivación, concentración y toma de decisiones.[56] Sin embargo, la privación de sueño a largo plazo es lo que realmente pasa su factura.

Las necesidades de sueño de mi cuerpo han sido consistentes; me siento mejor con siete horas cada noche. Si duermo menos de eso, a veces tomo una siesta breve de 20 minutos y me despierto sintiéndome genial. Si no has descubierto las siestas breves, te animo a que experimentes con ellas. (He estado tomando siestas de mediodía por años). Los expertos en salud ahora promocionan los beneficios de una siesta rápida para incrementar la agudeza mental y productividad y reducir el estrés.[57] Las siestas también ayudan a prevenir enfermedades del corazón.[58] Yo me convertí en una aficionada de ellas cuando noté cómo esos pocos minutos me daban mucha más energía, concentración y entusiasmo para el resto de mi día. Pruébalas y observa qué pasa.

4. La meditación

Mientras estaba en la universidad, tomé una clase de yoga y me enganché. Noté que cuando me enfocaba en lo que mi cuerpo estaba haciendo, mis pensamientos cesaban su charla incesante y yo recibía un muy necesitado descanso de mis pensamientos. Después de la clase, me sentía más relajada y en paz. Esa experiencia me hizo más abierta para aprender acerca de la meditación. Aunque en un tiempo era considerada como algo místico, la meditación se está convirtiendo en algo común en la cultura estadounidense, especialmente a medida que más estudios van mostrando sus beneficios.[59] [60] Por lo tanto, después de explorar varios tipos de meditación, encontré lo que funcionaba para mí. Hoy, los resultados que noto en mi vida incluyen un sentido generalizado de paz y optimismo y la habilidad de mantenerme mental y emocionalmente sobre terreno seguro en situaciones que solían molestarme.

El incorporar la meditación en tu vida definitivamente ayudará a elevar tus niveles de energía y estado de ánimo, porque otro beneficio es un aumento en la cantidad de neurotransmisores, incluyendo endorfinas—los químicos del cuerpo que lo hacen a uno sentirse bien.

Por lo tanto, si quieres aprender técnicas específicas, te sugiero buscar instrucciones en libros, clases o en línea. Hay varias que puedes aprender.

Una de las principales razones por las que la gente no medita es porque dicen que no tienen tiempo. ¿Esto suena familiar? ¿Estás tan ocupado en tu vida que no estás seguro de si puedes encajar algo más? Para cosechar la máxima recompensa de la meditación, necesitas hacerlo por 20 minutos al día. Y lo que quizá no notes es que tomar ese tiempo, de hecho, incrementa tu productividad a través del día.[61] Sin embargo, si ni siquiera tienes 20 minutos, hay buenas noticias: puedes practicar la meditación sin tener que apartar tiempo extra. No obtendrás todos los beneficios, pero un poco de meditación es mejor que nada. Por lo tanto, experimenta con las siguientes cuatro técnicas de meditación que no requieren mucho tiempo:

A. Respirar

El objetivo de la meditación es encontrar algo en qué enfocarse—una palabra (por ejemplo, paz), una imagen visual (por ejemplo, la llama de una vela) o un movimiento (por ejemplo, respirar). Te enfocas en lo que sea que hayas elegido y luego observas cómo tus pensamientos salen disparados en todas direcciones, llevándose tu atención con ellos. Y cuando te das cuenta de que has perdido tu enfoque, vuelves a centrar tu atención en el objeto que has elegido. Usar tu respiración como un punto focal es fácil de incorporar a tu vida ocupada porque el movimiento estable de dentro y fuera permanece constante a través del día. En muchas prácticas de meditación tradicionales, te sientas quieto y te enfocas en tu respiración, observando o contando cada inhalación y exhalación. (Ya hablé acerca de esto anteriormente). Pero no tienes que sentarte para usar esta técnica. Es tan simple que puedes hacer esto mientras esperas en la oficina de un doctor o mientras estás de pie en una tienda. Funciona muy bien cuando te ves obligado a tomar un momento de descanso en tu día. En los días en que necesito hacer mucho, me enfoco en mi respiración y repito una de mis fases favoritas con cada ciclo de entrada y salida. Para mí en particular, esto funciona mejor cuando estoy haciendo actividades que no requieren muchos pensamientos, como cocinar, vestirme o limpiar.

Otra variación de esta técnica es elegir una palabra como paz, calma o relajación, y decirla al compás de tu respiración. Si estoy sentada en una reunión donde hay confusión o animosidad—especialmente si siento que me estoy quedando atrapada en una energía caótica—enfoco mi respiración y digo una palabra en silencio (por ejemplo, calma, gentileza) con cada inhalación y exhalación. Puedo tranquilizarme con esta técnica mientras sigo participando en la discusión, y nadie sabe lo que estoy haciendo. El tomar este paso de alejarme de la interacción me permite escuchar lo que no se está diciendo y que necesita decirse. Puedo ofrecer esa información al grupo y a veces ayudarnos a reencaminarnos, o avanzar hacia una resolución.

B. El movimiento

Quizá no seas el tipo de persona que puede sentarse quieta para la meditación, aunque sea por 20 minutos. Puede que lo hagas mejor con movimiento. Meditar mientras te mueves es como la técnica de respiración, excepto que te enfocas en el movimiento y dices la palabra con cada repetición de movimiento. En lugar de recitar la palabra con cada respiración, la dices con cada paso o cada vez que tu pie toque el piso. Por ejemplo, caminando o trotando—puedo elegir una palabra (tal vez *gozo, luz* o *amor*) y repetírmela a mí misma con cada paso que doy mientras transcurre mi día.

Las actividades deportivas o atléticas te pueden aportar algunos de los mismos beneficios de la meditación. Muchos de los atletas universitarios con los que he trabajado entraban en un «estado de flujo» mental mientras participaban en su deporte. El jugar les daba un enfoque que los mantenía concentrados en el momento y les impedía pensamientos extraños. Generalmente, terminaban exhaustos después de un ejercicio, pero sus mentes habían tenido un descanso. Esto puede suceder con todo tipo de actividades físicas, ya fuera en un deporte como el baloncesto o el golf, o algo como el tejido, la jardinería o tocar un instrumento musical. Puedes agregar este componente de meditación a muchas actividades físicas, especialmente si requieren movimientos repetitivos.

C. Imágenes

La meditación con movimiento puede combinarse con imágenes para proporcionar puntos focales tanto cenestésicos como visuales. Simplemente eliges una imagen y visualizas eso en tu mente. Esta técnica trae cualesquiera pensamientos a la luz y le da a la mente una oportunidad de descansar. Por ejemplo, yo solía tener una buena postura, pero he comenzado a encorvarme. Por lo tanto, cuando noto mi mala postura, enfoco mi atención en mi columna, me enderezo e imagino una luz dorada y blanca fluyendo desde la parte superior de mi cabeza hasta la parte inferior de mi columna. Esta técnica lleva dos segundos, pero ese ajuste físico rápido, combinado con la imagen mental, puede aumentar mi energía y brindarme una actitud acometedora. Otra técnica de la que me beneficio es imaginar que, con cada inhalación, estoy respirando todo lo que necesito: relajación, paz, valor, amor y alegría.

D. Música

¡Me encanta la música! Para mí, sirve tanto como un gran escape de los sentimientos estresantes como una actividad casi perfecta para la expresión emocional. Escucho música en casa y en mi vehículo. Canto (y a veces bailo) con los artistas cuyas canciones tengan palabras animadas. A veces encuentro canciones que expresan lo que estoy sintiendo en el momento (furia) o lo que necesito (valor), y las canto una y otra vez. Después, mis problemas parecen más pequeños y el mundo parece un mejor lugar.

Amigo, la música también se presta para la meditación debido a la repetición del ritmo subyacente. Para esta técnica meditativa, elige una frase (por ejemplo, «Estoy agradecido por mi vida», «El amor y la luz me rodean» o «Hoy elijo la alegría») y canta junto con la melodía, usando tu frase en lugar de la letra de la canción. A veces, se requiere concentración real para mantenerse enfocado en la tarea— lo cual es bueno porque desafía a tu mente en el momento. No te estarás preocupando acerca de mañana cuando tu mente esté tratando de repetir tu frase, ¡especialmente si es una canción rápida! Si es demasiado difícil imponer tu frase sobre la letra de la canción, comienza por cantar tu frase con música instrumental. Puedes hacer esto en cualquier lugar. (Asegúrate de poner atención a lo que está ocurriendo a tu alrededor para mantenerte seguro. Yo suelo hacer esto en mi casa donde mi ambiente se mantiene predecible).

Todas estas técnicas pueden ser modificadas de una forma u otra para adaptarse a tu vida. Puede que no notes grandes diferencias de inmediato (puede llevarse varios meses de meditación para notar los resultados), pero no te des por vencido. Descubrirás que pasan cosas buenas si tienes la voluntad de apegarte a ello.

---

34. Actividades

1. *Elige una de las técnicas de meditación mencionadas y experimenta con ella. Por ejemplo, empieza con una técnica de respiración: practica decir una palabra o frase junto con tu respiración mientras estés ejecutando una tarea de rutina, como darte un baño o lavarte los dientes.*

2. *Selecciona otra técnica y trata de usarla en un momento específico de tu día. Por ejemplo, visualiza una luz dorada y blanca rodeando tu columna, dándote la postura perfecta, cada vez que camines hacia y de regreso al buzón del correo. O, con cada exhalación, imagina que estás dejando ir todo lo que no necesitas: pesimismo, estrés y fatiga. Respira normalmente por algunos minutos mientras haces estas imágenes y fíjate si te sientes mejor.*

3. *Sigue explorando las diferentes técnicas hasta que hayas experimentado con los cuatro tipos. Algunos pueden ser más fáciles y sentirse más naturales que otros. Una vez que encuentres lo*

*que funciona para ti, practica hasta que llegue
a ser automático. Si eres como yo, quizá llegues
a esperar con ansias el poder practicar por los
buenos sentimientos que le siguen.*

Tapar tus fugas de energía

Mejorar siquiera uno de mis pilares fundamentales me da
más energía: después de una buena noche de sueño, me
despierto ansiosa por empezar el día; corrijo mi dieta una vez
más para encontrar el alimento correcto que nutra mi cuerpo;
o medito y noto que un optimismo tranquilo impregna mi
vida. Sin embargo, hay otra mitad de esta ecuación. También
puedo aumentar mi energía al eliminar lo que yo llamo *fugas
de energía*. La mayoría de la gente pierde energía porque se
drena o se fuga. Piensa en ella de esta manera: tu cuerpo es un
recipiente llevando vitalidad que da vida, pero te ha surgido
una fuga, o quizá varias. Es imposible mantener tu cuerpo
lleno a su capacidad, por lo tanto, vas por la vida funcionando
con un depósito que no está lleno—lo que significa que
operas por debajo de tu potencial. Debido a que las fugas
son altamente individualizadas, necesitas examinar todas las
áreas donde pueda haber fugas de energía y luego, encontrar
formas de repararlas. Imagina que eres un plomero que ha
sido llamado para detener la pérdida de energía constante de
tu cuerpo. Tu trabajo es taparlas para que no derrochen tan
valioso recurso. Cuanto más hagas esto, más dejas ir las cosas
de tu pasado que están drenando tu vitalidad y te pones más
al día con el presente.

Por lo tanto, ¿de qué tipo de fugas estoy hablando?
Comencemos con la suposición de que todo lo que esté sin
terminar en la vida te roba atención y energía mental. No sé

cómo será en tu caso, pero cada proyecto que no he completado, cada esquina desordenada de mi casa que no he limpiado y cada objeto que poseo y que esté roto y necesita repararse—todos me agotan. No los puedo olvidar. Son como esos mosquitos molestos que no me dejan en paz. Pero en cuanto termino el proyecto, limpio la esquina o reparo el objeto, obtengo un impulso de energía sutil, pero notable. Es como si mi cuerpo me estuviera diciendo: «Me agota cuando no mantienes tu casa en orden». Amigo, consumirás energía mental descifrando cómo vas a completar una tarea o la consumirás tratando de *no* pensar en ello. De cualquier manera, te estás desgastando, lo que evita que hagas y estés en tu máximo potencial.

Las cuestiones médicas personales son desgastantes. A veces, estas pueden abordarse al mejorar tu ejercicio, dieta, sueño y hábitos de meditación. En otros momentos, puede que necesites ayuda médica, por lo tanto, consulta con tu doctor si tienes preguntas o preocupaciones.

Los problemas en tus relaciones también pueden drenar tu energía. Esto incluye a tus relaciones con otras personas y tus relaciones contigo mismo.

---

35. Actividades

Identifica tareas incompletas, lo que es el primer paso para tapar tus fugas de energía. Haz una lista de tus respuestas a las siguientes preguntas:

1. *¿Hay lugares que necesito limpiar?*
2. *¿Hay cosas que necesito arreglar?*
3. *¿Hay proyectos que necesito completar?*
4. *¿Hay cuestiones de salud personal que necesito abordar?*

Considera a toda la gente en tu vida hoy, así como aquellos que has conocido en el pasado. Haz una lista de tus respuestas a las siguientes preguntas:

1. *¿Quiénes son las personas con las que necesito disculparme?*
2. *¿Quiénes son las personas a las que necesito agradecer?*
3. *¿Hay personas a las que necesito perdonar (incluyéndome a mí mismo)?*
4. *¿Tengo asuntos pendientes con algunas personas?*
5. *¿Qué relaciones necesito mejorar?*

Antes de intentar reparar una relación, considera si tus esfuerzos quizás empeorarán las cosas para la otra persona. No permitas que tus intentos por poner un punto final te hagan herir o hacer enojar a alguien más. También, a veces, las otras personas no serán receptivas a tus esfuerzos. Aprende que está bien si las relaciones no se pueden remendar; los beneficios pueden provenir de hacer tu mejor esfuerzo.

Cuando enseñé esta lista a mis estudiantes universitarios, muchos de ellos se sintieron abrumados solo al pensar en todos los proyectos sin terminar y cuestiones no resueltas en sus relaciones que necesitaban reparar. Sí, puede sentirse abrumador. Cuando yo me di cuenta de que necesitaba encargarme de algunos de mis asuntos pendientes, comencé por identificar un par de cosas que podrían ser arreglos rápidos, como reemplazar una lámpara rota o enviar una nota de agradecimiento. El completar estas tareas no llevó mucho tiempo, pero me motivaron a hacer más. Hoy, trato de no crearme ningún otro asunto pendiente a medida que continúo con mi vida. Evito todas las nuevas fugas que pueda.

Después de que me retiré, supe que pasaría más tiempo en casa. También supe que, para disfrutar mi tiempo allí, tendría que deshacerme del desorden. Mi casa no estaba fuera de control, pero me gusta decorar y tiendo a llenar la mayoría de los espacios con mis «cosas», la mayoría de las cuales tienen un significado especial para mí. Al recorrer con mis ojos mi casa, vi la vieja ropa que ya jamás volvería a usar, los zapatos que estaban fuera de estilo, los artefactos de cocina que rara vez usaba y las cajas con carpetas de trabajos anteriores que nunca más necesitaría. Mis cosas parecían pesadas, y me di cuenta de que necesitaba aligerar mi carga para abrazar plenamente un nuevo capítulo en mi vida. Sentí que necesitaba espacio en mi casa y en mi vida, espacio que pudiera llenarse con oportunidades en el futuro. Por lo tanto, reduje el número de cosas—donando, tirando, reciclando o vendiendo las cosas que necesitaban irse.

El desorden físico tiene la tendencia de agotar tu energía y evitar que tengas acceso completo a tu potencial, por lo tanto, te animo a que experimentes con desprenderte de algunas de tus cosas. Como yo, quizá descubrirás que te sientes más feliz y energizado. Si quieres más información sobre cómo eliminar el desorden, hay bastante información disponible en línea y en libros. También puedes contratar a un profesional para que te ayude a limpiar tus armarios y reducir el tamaño de tu casa, o pedirle ayuda a un amigo o familiar. Pueden apoyarse el uno al otro al limpiar sus respectivas cosas. Los sentimientos de éxtasis que experimentas al eliminar el desorden son inmediatos, por lo tanto, una vez que empiezas, esos sentimientos positivos te siguen animando.

Después de que me deshice del peso extra de mis pertenencias físicas, limpié mis archivos, actualicé mis finanzas y finalmente, puse en orden el papeleo requerido para cuando muera: mi testamento y mi fideicomiso, un poder notarial médico y una instrucción médica anticipada. Pensé que estaba poniendo mis asuntos en orden para aquellos que me sobrevivirían, pero cuando terminé, sentí esa carga siendo levantada de mis hombros. Llevaba años arrastrando estas tareas pendientes, y cuando finalmente las terminé, el sentido de cierre se sintió increíblemente liberador. Sí, mi papeleo fue un regalo para otros, pero también resultó ser un regalo valioso para mí misma.

Hace algunos años, mi vecina de al lado murió repentinamente de un derrame cerebral, dejando a sus familiares sin documentos acerca de sus asuntos. Observé cómo trataban de descifrar qué hacer, todo mientras lidiaban con su dolor. Créeme, es mejor aprender las lecciones de la vida sobre poner tus asuntos en orden antes de tu partida. Si crees que puedas necesitar documentos legales, especialmente si tienes hijos o activos considerables, mueve esa tarea a la parte más alta de tus prioridades. No sabes cuándo recibirás esa llamada final inevitable. Reitero, hay bastante información disponible en libros y en línea. Si eres ingenioso, no tiene que costar mucho, aunque si lo haces tú mismo, te recomiendo que lo hagas pasar por revisión final realizada por un abogado en tu estado.

---

36. Actividades

Piensa acerca de lo que quizá debes dejar. Haz una lista no de objetos individuales, sino solo de categorías:

1. Pertenencias físicas que necesito eliminar (por

ejemplo, baratijas, ropa).

2. *Papeleo que necesito reciclar, triturar, organizar o escanear y archivar en mi computadora (por ejemplo, revistas, estados bancarios o registros de impuestos).*

3. *Postergación que necesito abordar al completar estas tareas (por ejemplo, actualizar un presupuesto, revisar la cobertura del seguro o escribir un testamento).*

Si liberarte del desorden te parece ser demasiado intimidante, comienza con poco y ve despacio. Limpia un cajón o elimina una pila de papeles. Recuerda, puedes obtener excelentes ideas sobre cómo reducir tus posesiones en libros e información en línea, y siempre puedes pedirle a alguien que te ayude.

Limpiar el desorden cognitivo

Existe otro tipo de desorden, una fuga de energía invisible y debilitante que puede prevenir que logres tus sueños. Yo lo llamo desorden cognitivo porque son los pensamientos y memorias que llevas en la mente, los que constriñen y que frecuentemente socavan tus elecciones y opciones. Estos pensamientos incluyen las lecciones que necesitas desaprender y reemplazar con las que sean más actualizadas; las creencias limitantes que necesitan ser examinadas, cuestionadas y modificadas; los focos de dolor que permanecen en tu mente después de que atraviesas experiencias dolorosas o traumáticas. El desorden cognitivo también incluye la negatividad, la preocupación y patrones de pensamiento obsesivo. Lo cierto es que a la mayoría de nosotros nos vendría bien una buena «limpieza de cabeza». Por lo tanto, ¿cómo se hace para ordenar la mente? Veámoslo.

1. Las creencias limitantes

Creo que las creencias limitantes hacen más para restringir cómo vive alguien y qué llega a ser que cualquier otra cosa. Si no estás seguro acerca de las creencias que te puedan estar estancando, reexamina el ejercicio en el capítulo 8 donde propusiste ideas de creencias limitantes y reglas de familia disfuncionales. Puede que también desees revisar las técnicas para cambiarlas. No debes permitir que esas creencias te generen límites con respecto a quién puedas llegar a ser y qué tan lejos puedas llegar.

2. Heridas sin sanar

Todos hemos sido heridos en algún punto de nuestras vidas. A veces las heridas sanan y a veces no. Si no sanan adecuadamente, una persona continuará llevando focos de dolor en su mente, cuerpo y emociones. Las heridas no cicatrizadas pueden cambiar el curso de su vida. (Por ejemplo, es probable que alguien que ha sido acosado luche con cuestiones de autoestima y, con frecuencia, alguien que ha sido abusado sexualmente tiene dificultades en cuanto a la intimidad sexual).

Algunas heridas son fácilmente visibles y algunas son apenas perceptibles. A menudo, son infligidas por otros, ya sea intencionalmente o sin intención, y su severidad puede variar de sentimientos heridos hasta el abandono y trauma. Una persona puede ser herida por las circunstancias de la vida, como atravesar un desastre natural, ser testigo de algún evento horrible o perder a un ser querido y no tener duelo. También la misma persona puede infligirse heridas. Si no cuida sus relaciones, salud o finanzas, con el tiempo tendrá que pagar las consecuencias. Si sofocan su deseo ardiente de perseguir un sueño sincero, quizá destruyan su pasión y espíritu. A veces las heridas autoinfligidas son intencionales, y en otras ocasiones no lo son.

Un análisis completo de cómo curar heridas está más allá del alcance de este libro. Solo tienes que saber que el remedio requerido para la situación puede variar, desde dejar que el tiempo lo cure hasta someterse a terapia extensiva. Lo importante, amigo, es no quedarse estancado en una posición de víctima herida por mucho tiempo. El reconocer tus heridas a menudo representa un primer paso crítico. La sanidad generalmente involucra el desarrollar una visión de lo que pasó, permitir la expresión emocional, aprender nuevas habilidades de conducta para volver a la normalidad (si es necesario) y finalmente, perdonar a quien sea que te haya herido. El perdón llega a ser un regalo para ti mismo. Ya no tienes que lidiar con el peso mental y emocional de la herida. Si tienes viejas heridas que estén afectando tu vida hoy, puede ser el tiempo de tomar el rol de estudiante y aprender lo que necesites hacer para ayudarte a ti mismo a sanar. La lección de vida aquí involucra pasar de ser víctima a ser estudiante. Puede que sanes al escribir en un diario, hablar con otros, leer acerca de cómo otros han sanado, incorporarte a un grupo de apoyo o trabajar con un terapeuta. Sin importar cómo lo hagas, recuerda que cada experiencia dolorosa tiene por lo menos una lección de vida incorporada en ella. La cantidad de esfuerzo requerido para aprender esa lección generalmente vale la pena el tiempo que requiere.

3. Mentalidades improductivas

Mark Twain escribió: «He tenido muchas preocupaciones

en mi vida, la mayoría de las cuales nunca ocurrieron». Yo a veces me preocupo de cosas que probablemente no ocurrirán. O me preocupo de cosas que no puedo controlar. ¿Te preocupas? La mayoría de la gente lo hace. El preocuparse cubre un rango de intensidad; es importante monitorear tus pensamientos para que la preocupación no se vuelva excesiva, porque puede intensificarse y convertirse en una obsesión (donde no puedes dejar de pensar en algo). Este tipo de preocupación a menudo tiene sus raíces en los miedos, en creencias limitantes o heridas que no han sanado. Los pensamientos obsesivos pueden adueñarse de las ondas de tu mente, ahogando pensamientos saludables y evitando que te mantengas enfocado en el presente. También pueden drenar tu energía mental y crear obstáculos para evitar que llegues a dónde quieres.

¿Alguna vez le has dado un giro negativo a algo que pudo haber sido una experiencia positiva? A veces, he temido a un evento, como acudir a una reunión obligatoria, hacer una tarea en casa o escribir un correo electrónico difícil. Mis sentimientos me dicen que estoy esperando una experiencia de vaso medio vacío, por lo tanto, trato de cambiar mi actitud. Me pregunto: ¿Puedo convertir esto en una experiencia más positiva? Y muchas veces, quedo agradablemente sorprendida cuando, de hecho, disfruto lo que sea que estaba temiendo. Siempre puedes cambiar la forma en que reaccionas a tus actitudes negativas. Y es asombroso cómo el cambio mental ayuda a poner en marcha a la intención. Puedes crear una experiencia más positiva al mirar el lado positivo y traer optimismo a la situación.

Por lo tanto, si eres un aprensivo o pensador obsesivo, prueba una variedad de enfoques, como la meditación, dejar de pensar (ver el Apéndice D), o indagar con curiosidad acerca de la causa subyacente: ¿Por qué estoy tan enfocado en esta cuestión? El ponerlo en papel ayuda a sacarlo de tu cabeza. Otras formas de abordar la preocupación incluyen enfocarte en tus bendiciones en lugar de tus problemas y estar agradecido por las oportunidades de crear experiencias positivas.

Necesito mencionar que a veces las mentalidades improductivas están relacionadas a una auténtica enfermedad mental. La mayoría de las personas se ponen ansiosas en ciertos momentos, pero si tu ansiedad es generalizada o te impide hacer cosas ordinarias, puede ser un desorden de ansiedad. Mucha gente se pone negativa y decepcionada ocasionalmente, pero si tu estado de ánimo triste está acompañado de pensamientos de desolación que duran más de dos semanas, puede ser depresión. Mucha gente también se vuelve obsesiva y compulsiva, pero si tus pensamientos y conductas interfieren con tus actividades del día a día, eso podría ser una señal de una preocupación clínica. Si tu pensamiento incorrecto y mentalidad improductiva te están haciendo miserable y haciéndote cambiar la forma en que vives tu vida, por favor, acude a un profesional en salud mental. Hoy existen tratamientos efectivos que pueden ayudarte a volver al buen camino y comenzar a disfrutar de la vida otra vez.

Ya sean creencias limitantes, heridas sin sanar, pensamientos inquietantes u otras formas de desorden cognitivo, cada pieza de desorden mental tiene lecciones importantes que enseñarte. Si no hay nada más, esas piezas te dan una oportunidad de aprender cómo atestiguar lo que está pasando en tu cabeza. Tú tienes el poder de agregar optimismo a tu forma de pensar. El actuar sobre este poder abre la cortina para que la intención entre en el escenario. El universo responde a tu actitud de esperanza con ayuda de fuentes visibles e invisibles. Practica observar cómo funciona esto.

37. Actividades

Considera dónde estás ahora en tu vida. Tus creencias limitantes, heridas y mentalidades improductivas drenan tu energía y restringen quién puedes llegar a ser y cuánto puedes lograr. Hazte estas preguntas:

1. *¿Cuál es una creencia limitante que esté restringiendo mi vida?*
2. *¿Hay una herida no sanada que me está impidiendo avanzar?*
3. *¿Me preocupo demasiado?*
4. *¿Puedo mejorar mi actitud?*
5. *¿Con qué pieza de desorden cognitivo puedo lidiar hoy?*
6. *¿Hay un paso que pueda tomar para abordar ese desorden?*

Recuerda que una actitud positiva que declara «Sí se puede» contribuye considerablemente para impulsarte a lo largo de tu jornada de autosanación. Fijarte el objetivo de despejar el desorden restrictivo invita a toda la Providencia a ayudarte.

Convertirte en uno que busca crecer

Yo sigo pidiéndole a mi cuerpo que supere nuevos desafíos—unos en los que estoy segura que podré triunfar. Los martes en la mañana, voy al gimnasio para un entrenamiento de 45 minutos que consiste en tiempo en una máquina elíptica, en una caminadora y haciendo un poco de entrenamiento con intervalos de alta intensidad (HIIT). He estado haciendo esta rutina por algún tiempo, por lo tanto, pensarías que ya me habría aburrido. Pero cambio las cosas y la hago disfrutable y desafiante. Me enfoco en mi respiración, cambio mi conciencia a diferentes partes de mi cuerpo y trabajo en mejorar mi balance. Llevo mi música porque me da energía y me pone en un gran estado de ánimo, y ahoga los otros ruidos en el gimnasio para poder concentrarme. Me encanta esta rutina y me siento energizada cuando termina. ¿Por qué te estoy diciendo esto? Porque este entrenamiento me da una actividad física y concreta que se ha convertido en una metáfora de cómo quiero vivir mi vida—constantemente ampliándome y creciendo.

La mayoría de las personas tienen por lo menos un área de sus vidas donde conscientemente buscan crecimiento y mejoramiento: la gente que disfruta de cocinar busca nuevas recetas; los padres a menudo buscan las más recientes y mejores prácticas para criar niños; los dueños de negocios buscan formas de mejorar su margen de ganancia; y los propietarios de casa a menudo quieren completar el próximo proyecto de mejoramiento en su hogar. Los deportes también hacen que la gente quiera mejorar: los jugadores de golf intentan obtener un puntaje más bajo; los que compiten en deportes como el tenis quieren mejorar sus capacidades y ganar partidos; los corredores tratan de superar sus propios tiempos, incluso si saben que nunca ganarán una carrera.

Por lo tanto, aquí está la buena noticia: dado que ya tienes experiencia con este tipo de aprendizaje entusiasta, es posible transferir ese mismo entusiasmo al aprender tus lecciones de vida. La sabiduría práctica de tus lecciones te guía hacia desarrollar más de tu potencial, y te conviertes más en quien eres capaz de ser. Tu vida se hace mejor; pasas tus clases en la escuela de la vida para graduarte y avanzar a las clases avanzadas, donde te esperan más elecciones, potencial y oportunidades. Tu mundo se hace más grande, más rico y pleno.

No obstante, existe una zona peligrosa en este proceso que tiene que ver con las *lecciones de cambio*. He hablado acerca de esto antes: cómo te relacionas con el mundo cambia a medida que maduras de la infancia a la edad madura, y las lecciones que aprendes en el camino también cambian. Por lo tanto, puede que necesites hacer ajustes de medio curso en tu planeación. La velocidad y precisión con la cual aprendes lecciones de la vida depende en qué tan bien puedas desaprender lo que solía funcionar y reaprender lo que funcionará ahora. Una vez que reconozcas el concepto de cambiar lecciones, podrás estar atento para percibir cuándo necesitas actualizarte. El tratar de aplicar una lección previa—una que fue perfectamente aplicable en algún momento pero ahora ya no funciona—es la razón por la que pudieras sentirte estancado.

Es propio de la naturaleza humana resistir el cambio. Instintivamente, peleas contra él—incluso cuando sabes que el mundo está avanzando rápidamente y que te quedarás atrás si te quedas estático. El cambio significa salir de tu zona de confort y moverte hacia lo desconocido que causa miedo. Por lo tanto, es importante reconocer cuántos cambios puedes manejar. Todos los cambios—buenos y malos— hacen demandas y causan estrés. Si ya estás estresado por las circunstancias en tu vida, quizás ahora no sea el momento correcto para asumir más. Al saber que es normal resistir el cambio, puedes llegar a ser más prudente a la hora de aceptar cambios en tu vida—cuando el cambio específico y el momento sean correctos; y puedes agregar intención para avanzar deliberadamente de formas positivas. El buscar crecimiento, combinado con el uso de la intención, se convierte en una fuerza poderosa que te ayuda a progresar rápidamente, porque no hay nada dentro de ti poniendo los frenos.

A continuación, he listado áreas donde estoy usando la intención para extenderme y crecer. Puede que te ayuden a pensar en áreas de tu vida donde puedas enfocarte en el crecimiento intencional. No tienes que establecerte metas formales en estas áreas, a menos que lo quieras. Con solo declarar o escribir tus intenciones, puedes aprovechar una corriente de energía invisible de la Providencia que puede hacerlos realidad. Aquí hay algunos de mis ejemplos:

Llegar a ser un mejor estudiante de la vida

- Poner atención en clase.
- Identificar lecciones de vida la primera vez que se presenten.
- Aprender de los muchos maestros que el Universo ponga en mi camino.
- Perfeccionar mis capacidades intuitivas para guiar todos mis movimientos—incluso cuando no sé si necesito guía.

Llegar a ser una mejor versión de mí

- Meditar sobre lo que aprendo acerca de mí misma, mis relaciones y las coincidencias en mi vida.
- Buscar formas para ser más entusiasta, resistente, leal e intencionada.
- Mantenerme enfocada en mi carácter e integridad para seguir haciendo la siguiente cosa correcta.

Fomentar mis relaciones

- Dar más.
- Amar más profundamente en mis relaciones.
- Abrirme yo misma a aquellos en los que puedo confiar.
- Decir «disculpa» más pronto si necesito hacerlo.
- Decir «gracias» más seguido.

Mejorar mis habilidades de trabajo

- Perfeccionar mi escritura de material de autoayuda.
- Hacer mis pláticas motivacionales divertidas e inspiradoras.

Apoyar mi propósito

- Honrar mi autenticidad, la persona única que soy yo.
- Compartir mis talentos y dones con otros más seguido y en formas más impactantes.

Encontrar nuevas formas de aceptar desafíos saludables mantiene a tu vida refrescada, energizada y avanzando. Sin importar cuál sea tu punto de partida, siempre puedes dar el siguiente paso en tu crecimiento y desarrollo. Siempre puedes encontrar más de una forma de mejorar lo que estés haciendo y cómo lo estás haciendo. Después de un tiempo, se hace automático, convirtiéndose en una mentalidad y un hábito. Pasas a la *competencia inconsciente* donde ni siquiera tienes que pensar en ello. Y, si estableces tu intención de aceptar el cambio y el crecimiento en tu vida, el Universo interviene para acompañarte y ayudarte con creces. Las puertas se abren; las oportunidades se presentan solas en lugares esperados e inesperados. Accedes a una vida de exploración y crecimiento que se vuelve extraordinaria—así asegurando que estás feliz y en paz cuando llegues al final de la jornada de tu vida.

38. Actividades

Desarrolla una mentalidad que acepte el cambio y decide expandirte y crecer—dos acciones que pueden impulsarte de formas poderosas. Comienza por hacer lo siguiente:

1. *Escribe una intención que puedas establecer para llegar a ser un mejor estudiante de la vida.*
2. *Escribe una forma en la que quieras expandirte y crecer en tus relaciones.*
3. *Escribe una forma en la que puedas hacer un mejor trabajo para estimular tus regalos y talentos.*
4. *Haz una lista de cualesquiera áreas adicionales en las que quieras mejorar (por ejemplo, hábitos de salud, crecimiento espiritual, decisiones de carrera o temas financieros).*

Capítulo 10

Hacer lo que viniste a hacer

Descubrir tu propósito y lograr tus metas

Encontrar tu propósito

Siempre me asombran las personas que encuentran su propósito temprano en sus vidas y quienes lo usan para ganarse la vida haciendo lo que aman: el niño prodigio con el extraordinario talento que pasa a tener una carrera apasionante, o el niño dotado que sigue los pasos de sus padres y encuentra un éxito similar. La mayoría de nosotros conocemos a alguien que está viviendo su propósito. Cuando pienso en los que conozco, imagino que son dichosos, que tienen un profundo sentido de paz interior y llevan una vida de maravilla y satisfacción. El futuro parece revelarse sin esfuerzo frente a ellos, llevándolos de un éxito a otro. Según lo que he observado, estos afortunados continúan trabajando duro—extendiéndose, creciendo y encontrando mejores formas de compartir sus dones—pero debido a que aman lo que hacen, rara vez se siente como trabajo para ellos. Están absortos en el ahora, en el gozo de cada momento. Y los estudios apoyan mis observaciones. Un artículo de Emily Esfahani Smith declara que «tener propósito y significado en la vida incrementa el bienestar general y la satisfacción de la vida, mejora la salud mental y física, mejora la resistencia, mejora la autoestima y disminuye las posibilidades de depresión».[62] Otro estudio reveló que el tener un sentido de propósito predecía una vida más larga tanto para adultos más jóvenes como más viejos.[63] En otras palabras, hacer lo que amas hace maravillas para tu salud.

¿Recuerdas cuando hablé acerca de las reglas de la escuela de la vida (Capítulo 2)? Una de las otras reglas aborda el progresar más cuando te alineas con la fuerza creativa en el Universo y llegas a ser cocreador de tu vida. Cuando sigues la corriente natural de tu ser auténtico, honrando tus talentos inherentes al compartirlos con el mundo, introduces un sentido profundo de significado y propósito en tu vida. Vas más allá de tus metas pequeñas y egocéntricas en favor de algo más grande. Puedes vivir la vida para la que estuviste destinado a vivir. Y al hacer eso, ofreces tu luz para apoyar el potencial de otros.

El consejo del reconocido mitólogo Joseph Campbell era «persigue tu felicidad». Cuando observo las vidas de aquellos que están haciendo justo eso, tiene un perfecto sentido. Pero en mi caso, no fue así de simple o de obvio.

Mi historia es una combinación de guía intuitiva y un vagabundeo despistado. Ya estaba bien avanzada en la adultez antes de que un llamado o misión siquiera se registrara en mi conciencia. Y aun así, sin saberlo había estado buscando empleos que me dieran las recompensas internas y la satisfacción que yo sabía que eran posibles, empleos que me permitieran hacer lo que amaba y dedicarme a lo que naturalmente hacía bien. Mi primera pista real me llegó cuando estaba en el primer año de universidad, cuando me enamoré de la psicología durante una clase introductoria. Sin embargo, sabía que una licenciatura en psicología me llevaría en muchas direcciones, por lo tanto, trabajé como voluntaria para adquirir experiencia. Comencé en una escuela privada para niños con necesidades especiales. Sabía que podía hacer una diferencia en las vidas de los niños, pero me sentía confinada e inquieta teniendo que trabajar en una habitación todo el tiempo. Un día, el director de la escuela me preguntó si me gustaría observar a un psicólogo visitante administrar una prueba de inteligencia a un estudiante. Yo dije «Sí», y la semilla quedó plantada. Quedé fascinada con el procesamiento mental de este pequeño niño a medida que atravesaba varias subpruebas—y esa fascinación me llevó a certificarme como examinadora educativa. Ahora, yo era la persona que iba a las escuelas y administraba pruebas individuales de inteligencia. Me encantaba el trabajo.

Pero después de dos años, estaba lista para aprender algo nuevo. Las pruebas ya no me intrigaban o desafiaban, por lo tanto, regresé a la escuela para obtener mi doctorado en consejería. Mi práctica profesional en el centro de consejería de la universidad me ayudó a darme cuenta de que disfrutaba completamente trabajar con estudiantes universitarios que sufrían de disfunciones leves o moderadas. Algunos de mis compañeros querían trabajar con personas que luchaban con síntomas más severos de enfermedades mentales, pero eso nunca me interesó. Había intentado hacer voluntariado en un hospital psiquiátrico estatal que trataba esos desórdenes serios y, después de solo un día, supe que no era el entorno adecuado para mí.

El encontrar el nicho adecuado involucraba la experiencia práctica, un saber interno y una falta de interés en otras opciones. Con el tiempo, me di cuenta de que mi propósito en la vida era ayudar a otras personas, lo cual podría satisfacer a través de una variedad de trabajos: pruebas de inteligencia, consejería personal, asesoría académica, enseñanza, hablar en público, escribir y trabajo administrativo. Y en mi vida personal, también encontré muchas formas de ayudar a otros, incluyendo animales. Hoy, siempre hago lo que puedo por los animales necesitados que se cruzan en mi camino.

Uno de mis más grandes momentos *ajá* fue cuando me

di cuenta de que me sentía más feliz cuando me enfocaba en dar en lugar de recibir. El enfocarme en mí me hacía sentir vacía y no satisfecha. Cuando me desprendí de mis necesidades egocéntricas de dinero, poder, control o lo que sea que se me ocurriera, pude tomar parte de algo que era más grande, más rico y significativo—algo que hiciera más diferencia. Si tú eres una de esas personas afortunadas que ya encontró su propósito en la vida, ¡te aplaudo! Pero si no tienes idea de lo que te apasiona o cuáles son tus talentos y dones, o lo que te brinda gozo, entonces, esta sección es para ti. Si te estás merodeando por el camino, absorto en tus metas del día a día, necesitas saber que existen recursos sobre cómo elevar tu vida a nuevas alturas. Voy a señalar algunos que yo encuentro útiles:

1. Lee libros, información en línea y otros materiales

Se han escrito varios libros excelentes sobre cómo encontrar propósito en tu vida. Yo te animo a que les eches un vistazo, junto con otra información en línea. Con frecuencia, incluyen pasos específicos sobre cómo crear una declaración de misión.

2. Considera asesoría profesional con un especialista

Luego, desarrolla un plan para explorar carreras.

Al trabajar con estudiantes de la universidad, a menudo hablaba con ellos acerca de seleccionar una licenciatura. Generalmente, los refería al centro vocacional del campus para reunirse con un consejero y tomar pruebas de exploración. Aunque un empleo o carrera no es lo mismo que un propósito en la vida, el acto de identificar tus valores, intereses y habilidades a través de las pruebas vocacionales puede darte pistas acerca de cuál puede ser tu llamado. Quizá descubras que tienes aptitudes que no sabías que tenías, como un talento en las matemáticas o un espíritu empresarial; o quizá descubras que tus valores son similares a los de aquellas personas que trabajan en un campo en particular, como la medicina o el sector bancario. Toda esa información puede abrirte las posibilidades que tal vez nunca hayas explorado por tu propia cuenta.

3. Hazte a ti mismo algunas preguntas de sondeo

A veces, un trabajo puede darte la oportunidad de expresar tu propósito sin darte cuenta. Si ya tienes un empleo que amas, pregúntate: ¿Qué hay acerca de este trabajo que me hace sentir vivo, feliz y satisfecho? Quizá te permite ser creativo, y parte de tu propósito es crear. O puede que te permita compartir tus notables habilidades para organizar, lo cual es parte de tu misión. Presta atención a lo que te hacer perder la noción del tiempo porque lo disfrutas tanto, especialmente aquellas áreas que son innatas para ti.

Yo antes trabajaba en el ala de un edificio que estaba asignada a una sola persona de custodia. Marlene y yo teníamos largas pláticas acerca de nuestras familias, el mundo y los más recientes acontecimientos de nuestro departamento. Llegué a respetarla a ella y a las experiencias de vida y apoyo que ella me brindaba en cada conversación. Nunca hablamos de nuestras misiones en la vida. Pero Marlene hacía su trabajo de forma impecable, y traía felicidad a aquellos con los que trabajaba. Creo que parte de su propósito era ayudar a otros. Y nunca la olvidaré.

Si tu trabajo no es uno que te encante, pregúntate:

1. ¿Qué disfrutaría hacer? (Adivina, si no sabes).
2. ¿Qué es lo que hago bien de forma natural?
3. ¿Cómo paso mi tiempo libre?
4. ¿Qué me interesa?

5. ¿Qué me causa curiosidad?
6. ¿Qué disfrutaba hacer cuando era niño?

Las respuestas a estas preguntas pueden darte información adicional para explorar.

4. Busca actividades más allá de tu trabajo que te den energía y te den ganas de aprender más (por ejemplo, deportes, pasatiempos o trabajo voluntario)

Tu misión puede encontrarse fuera de tu mundo de trabajo. Quizás eres energizado al entrenar un equipo de deportes infantiles, y tu propósito se expresa al trabajar con niños.

Para ayudar mejor a mis estudiantes, tomé las pruebas de carrera yo misma. Aunque amo las artes, las pruebas mostraron que sería difícil para mí ganar un ingreso estable a través de cantar o bailar. Mis talentos en esas áreas eran mediocres. ¿Significa que necesito renunciar esas cosas? ¡Claro que no! Puedo continuar disfrutándolas—solo que no debo depender de ellas para pagar mis cuentas. Lo que no quiere decir es que si te encanta algo (por ejemplo, el patinaje), no deberías intentar perseguir tu felicidad y encontrar alguna forma de hacer que te pague un ingreso decente. Algunas personas lo hacen. Pero necesitas agregar un elemento de realismo a tus sueños en términos de devolución monetaria. Considera las posibilidades; infórmate acerca de una remuneración viable por compartir tu talento. Tal vez puedas resolver la parte del ingreso al dar lecciones o al abrir un negocio de monopatines. Quizá puedas llegar a ser un representante de ventas de una de las mejores marcas, lo cual todavía te mantendrá en el sector. Sin embargo, si tu pasión es por la actividad del patinaje en sí mismo, solo sabe que podrías sentirte frustrado. Como el canto y baile en mi caso, puede que necesite convertirse en un pasatiempo que disfrutes en tu tiempo libre.

5. Prueba varios empleos o actividades para ver si te atraen

Cuando trabajé con estudiantes en cómo elegir una licenciatura o cómo desarrollar declaraciones de misión para sus vidas, vi que muchos de ellos quedaban estancados en el mismo lugar. Intentaban tomar las decisiones fuera de sus cabezas—basándose en lo que *imaginaban* que querían hacer, quiénes querían ser y llegar a ser—en lugar de basarse en experiencias de la vida real. La mayor parte del tiempo, encontrar un propósito proviene de participar en la actividad en sí en lugar de fantasear acerca de cómo sería. Por lo tanto, si tienes la más ligera idea de que quisieras hacer un trabajo o actividad en particular, inténtalo. Haz voluntariado, acepta una pasantía si puedes encontrar una. Encuentra un trabajo de verano o una posición de medio tiempo.

Si no hay nada más, tu voluntariado o experiencia de trabajo puede decirte lo que *no quieres* hacer. A veces, tu exploración de opciones se convierte en un proceso de eliminación hasta que llegas a la que es correcta para ti. Por lo tanto, descubrir lo que *no funciona* también es información valiosa porque puedes tachar esa opción de tu lista de posibilidades.

Y he aquí algo más para tener en mente: la mayoría de las personas cambian de carreras—no empleos—por lo menos, tres veces en su vida productiva. Y la persona promedio tendrá 11 empleos antes de llegar a los 49 años de edad.[64] Por lo tanto, si estás buscando un trabajo o carrera que satisfaga tu necesidad de significado o propósito, opta por tu mejor hipótesis; probablemente se convertirá en un paso importante de un trabajo a otro hasta que descifres lo que te da vitalidad y lo que te proporciona ese sentido profundo de paz y propósito. Como las carreras, la forma en que expresas el propósito de tu vida cambia con el tiempo.

6. Entrevista a personas que ya estén trabajando en el sector que te interesa

Habla con otros que trabajen en el sector que te interesa. Ofrece llevarlos a un almuerzo y haz preguntas: «¿Qué te gusta acerca de tu trabajo?», «¿Qué es lo que no te gusta acerca de tu trabajo?», «¿Cómo es un día típico para ti?».

7. Estudia tu área de interés.

Averigua en línea para ver cuál es el salario inicial medio y qué posiciones de trabajo están disponibles. Infórmate bien. Obtén experiencia práctica y encuentra información de la vida real para ayudarte a tomar tu decisión.

8. Pide a un poder superior que te ayude a encontrar tu propósito. Ora.

Uno de los libros más vendidos sobre cómo encontrar tu propósito fue escrito por un pastor, el Dr. Rick Warren, y se llama *Una vida con propósito*.[65] La premisa del libro es que te preguntes a ti mismo: «¿Qué quiere Dios para mi vida?», y no «¿Qué quiero yo? ¿Qué es lo que me gusta? ¿Qué me hará feliz?». La pregunta replantea la cuestión de una forma que incluye un Poder Superior. Si tienes creencias espirituales, puedes orar para pedir guía acerca de tu propósito en la vida. Incluso si no tienes dicha inclinación, siempre puedes pedir al universo que te señale a qué dirección ir. Luego, estate atento para ver acontecimientos tan fortuitos que no pueden ser nada más que señales.

9. Haz las actividades de visualización en el Apéndice B.

Haz cualesquiera preguntas que ya tengas o elige las relacionadas a la búsqueda de tu misión, tal como: ¿Cuál es mi propósito en la vida? Y a medida que hagas la actividad, ve qué respuesta obtienes. Estas actividades te ayudan a evitar tus pensamientos conscientes para acceder a más de tu sabiduría subconsciente e intuitiva, dándoles la oportunidad de hablar.

10. Reflexiona sobre las lecciones de la vida que ya has aprendido para ver si te dan pistas acerca de tu propósito en la vida.

Pon atención a las señales del Universo y las que tu intuición quizá ya te haya dado. Muchas veces, las respuestas a tus preguntas están justo debajo de tu nariz. Te pierdes el encontrar tu propósito porque no logras reconocer a los maestros y las señales.

Mucho de lo que está escrito acerca de descubrir tu propósito en la vida sugiere que en cuanto descubras la vocación de tu alma—o al menos lo que *crees* que es tu vocación—deberías zambullirte en eso; que deberías abandonar cualquier cosa que no sea parte de tu misión y perseguir tu felicidad. Lo que yo he descubierto, sin embargo, es que todavía tienes que lidiar con consideraciones prácticas. Muchas veces, no puedes renunciar tu trabajo actual. Todavía necesitas comer y pagar tus cuentas. Por consiguiente, creo que hay otra opción, y esa es incluir ambos: mantén tu trabajo actual y haz lo que te encanta aparte. ¿Cómo? Puedes hacer voluntariado; puedes hacerlo a tiempo parcial. O puedes comenzar a ponerte al día estudiando o regresando a la escuela mientras trabajas en tu empleo regular. Yo esperé hasta que pude retirarme antes de lanzarme a mi llamado definitivo. Mientras tanto, leí libros, fui a conferencias, tomé clases y escribí un diario—todas estas siendo formas de hacer *ambas* cosas.[66]

Sé, sin lugar a duda, que mi propósito en la vida es ayudar a que las personas aprendan sus lecciones de vida a través de mis escritos y conferencias. Puedo ver que cada paso en el camino fue importante—cada experiencia de voluntariado, cada callejón sin salida, cada trabajo aburrido y frustrante. Incluso cuando no era consciente de cómo encajaban las piezas, las coincidencias tuvieron significado. Y todas culminaron en llevarme a donde estoy ahora.

Amigo, encontrar tu vocación, tu propósito y tu misión en la vida es una de las experiencias más gratificantes que puedes tener. Solo estás aquí por un corto tiempo, por lo tanto, ¿por qué no darle todo lo que tienes? ¿Por qué no llegar al final sin remordimientos acerca de cómo pasaste tu tiempo? Tienes la opción de aceptar la gran invitación de participar en la vida a un nivel significativo. Depende de ti desarrollar tu potencial y dones y dejar un mundo mejor.

---

39. Actividades

Desarrolla una declaración de misión que resuene contigo. Elabora una breve declaración de tus metas, motivación y enfoque que luego pueda convertirse en tu base para tomar decisiones. (Por ejemplo, quiero ser una buena persona, o quiero ser feliz). Incluye declaraciones separadas acerca de tus funciones en la vida (amigo/amiga, esposo/esposa, madre/padre, hijo/hija, hermana/hermano, empleador/empleado). También te sugiero incluir tus talentos y dones en tu declaración. (Por ejemplo, quiero usar mis talentos artísticos para educar, inspirar y motivar a otros). A veces ayuda pensar acerca de lo que querrías que la gente dijera de ti en tu obituario. Si no lo sabes, escribe lo que mejor se te ocurra.

Establecer y lograr tus metas

De todas las clases de universidad que enseñé, la del establecimiento de metas fue una de las más satisfactorias. Al dar a mis estudiantes directrices simples e incorporar algo de rendición de cuentas, lograron lo que querían. Laurence Peter dijo: «Si no sabes dónde vas, probablemente terminarás en algún otro lugar». Las metas te mantienen enfocado en tus valores y tus prioridades. Ayudan a moldear tu futuro en uno que quieras vivir.

Aprendí por primera vez acerca del poder de las metas cuando era estudiante de posgrado y ayudé a facilitar un grupo de entrenamiento en asertividad. Cada semana, establecíamos metas para llegar a ser más asertivos en nuestras vidas. Cada uno de nosotros escribió una meta, la compartió con el grupo y luego, reportó la siguiente semana cómo nos había ido. Esto nos proporcionó apoyo grupal y nos permitió rendir cuentas. Con el tiempo, me convertí en la principal facilitadora para los grupos y aunque no hablaba acerca de mis metas, continúe estableciéndolas para mí misma. Trabajé en muchas metas, no solo en asertividad. Hasta el día de hoy, uso los pasos de establecimiento de metas que aprendí en esos grupos para mantenerme en el buen camino.

Le he sacado mucho jugo a esta sola técnica. Ahora, escribo mis metas, sigo los pasos y obtengo resultados positivos. Lo hago automáticamente porque se ha convertido en un hábito. En esta sección, te mostraré cómo hacer lo mismo. A medida que identifiques tus metas, recuerda de tener en cuenta la posibilidad de que puedas lograrlas fácilmente, o algo mejor. Dale cabida al universo y a tu subconsciente para que creen algo que supere hasta tus sueños más grandes.

Encontrar motivación

La mayoría de los consejos sobre cómo establecer metas incluyen muchas de las mismas sugerencias: establece metas específicas, manejables, logrables, enfocadas en resultados y con plazos determinados. Sin embargo, estudios más recientes sobre cómo triunfa la gente con sus metas muestran que ha estado faltando un elemento clave, especialmente para metas más difíciles. El autor y entrenador corporativo Mark Murphy realizó un estudio de más de 4.000 personas y descubrió que aquellos que tenían una *motivación sincera*—una razón emocional sincera para alcanzar sus metas—tenían mayor posibilidad de superar los obstáculos que encontraban en su camino para cumplir con sus metas.[67] La gente necesita contar con un ancla dentro de ellos mismos para mantenerse el rumbo.

Cuando recuerdo las metas que no logré, veo un patrón: la mayoría de esas metas «fracasadas» fueron unas que no me importaron lo suficiente como para ponerme a luchar por cambiar mis hábitos. No tuve una motivación lo suficientemente fuerte para llevarlas a cabo; no tenía la intención de hacerlo *cueste lo que cueste*. Cuando leas los siguientes pasos, ten en mente que, si trabajas en metas difíciles, puede que necesites una motivación sincera que te de la mayor oportunidad de triunfar. Si te prometes a ti mismo una recompensa después de que completes una meta fácil, triunfarás con poco esfuerzo. Pero para esas metas que sabes que te desafiarán, asegúrate de entender por qué quieres lograrlas; identifica el deseo irresistible y profundo de por qué quieres lograr esa meta. Trabajé con muchos estudiantes que fueron los primeros en sus familias de ir a la universidad. Querían graduarse para hacer sentir orgullosas a sus familias, y ellos querían ser modelos a seguir para sus hermanos menores. Aquellas profundas razones emocionales para tener éxito les ayudaron a superar muchas aflicciones y frustraciones en el camino.

Otra forma de encontrar motivación es identificar las metas específicas que quieras lograr durante tu vida—aquellas que quieras lograr para no tener arrepentimientos al final de tu vida. Esto incluye metas en todas las más grandes categorías de tu vida: familia, carrera, finanzas, crecimiento personal y espiritual. ¿Qué necesitarías hacer para sentir que tu vida fue un éxito? Y una vez que hayas identificado esas metas de toda tu vida, te sugiero escribirlas. Porque con todo lo que quieres lograr, necesitarás estar enfocado y ser estratégico. Y ahí, amigo, es dónde se unen la intención, el establecimiento de metas y el manejo del tiempo.

---

40. Actividades

Aparta 20 minutos para completar este ejercicio:[68]

1. *Toma una hoja de papel y escribe sobre la parte superior: Metas de vida. Haz una lista de todas las ideas de metas para la vida que se te ocurran, especialmente aquellas en las siguientes categorías: familia, carrera, finanzas, crecimiento personal y espiritual. Incluso si una meta parece ridícula, escríbela. Puedes evaluar tu lista más tarde. Sigue escribiendo hasta que se te acaben las ideas.*

2. *Toma una segunda hoja de papel y escribe en la parte superior: Metas de diez años. Piensa en todas las metas de diez años que se te ocurran. No las evalúes—solo escríbelas.*

3. *Toma una tercera hoja de papel y escribe*

en la parte superior: Metas de cinco años. Piensa en todas las metas de cinco años que puedas y escríbelas rápidamente y sin juzgarlas.

4. *Revisa tus listas. Agrega cualquier meta adicional que se te pudiera ocurrir.*

5. *Identifica tus tres metas más importantes en cada lista. Márcalas como quieras: 1, 2, 3, o A, B, C. Puesto que no puedes trabajar en todas tus metas a la vez, necesitarás priorizar. (Deberías tener nueve metas identificadas).*

6. *Elige tus tres prioridades principales. Prioriza esas al organizarlas en orden de significancia. Ahora ya habrás identificado tus metas más importantes.*

Mantén esta lista en algún lugar seguro y revísala periódicamente. Repite esta actividad tan frecuentemente como sea necesario para mantener tus metas relevantes. A medida que tú y tu vida cambien, tus metas cambiarán. Algunas las lograrás y las tacharás de tu lista; otras caerán naturalmente porque ya no son importantes. El mantener una lista actualizada de metas de toda la vida puede mantenerte enfocado y avanzando en la dirección correcta.

Pasos para establecer metas exitosamente

Hacer listas de tus metas de vida te permite ver el establecer metas desde una nueva perspectiva. Estas metas representan cómo quieres pasar tu tiempo y lo que crees que te dará satisfacción. Para comenzar a cumplir con tus metas, primero exploremos los pasos involucrados en establecer metas:

1. Elige una meta que sea...

- **Alcanzable:** Crees que puedes lograrla, y estás fuertemente motivado.
- **Realista:** No puedes cambiar tu comportamiento de la noche a la mañana. Por lo tanto, incluso si *piensas* que puedes lograr una meta, sé realista contigo mismo. Elige una meta que sea razonable y que tenga posibilidades de ocurrir. Por ejemplo, algunas personas establecen una meta de ejercitarse todos los días cuando no están ejercitándose en absoluto. Esa no es una meta realista.
- **Medible:** Declara tu meta para que sepas cuándo la hayas alcanzado. Por ejemplo, establece una meta de «hacer más ejercicio» en lugar de «mejorar mi estado físico».
- **Específica:** Tu definición de meta necesita responder a estas preguntas: ¿Qué? ¿Cuándo? ¿Dónde? ¿Con quién? ¿Qué tan seguido? Por ejemplo: «Hacer dos caminatas de 20 minutos durante la próxima semana».
- **Controlable:** La forma en que declares tu meta puede impactar si la logras. Muchos de mis estudiantes establecieron una meta de «hacer que mi profesor cambie mi calificación». Ellos no podían controlar el comportamiento del profesor—solo podían controlar el suyo—por lo tanto, los animé a que cambiaran su meta a «pedirle a mi profesor que cambie mi calificación». Incluso si su calificación permanecía igual, todavía podían lograr su meta al hacer la solicitud.

2. Escribe tu meta.

El escribir tu meta en papel incrementa las posibilidades de que triunfarás. Guárdala en un lugar donde puedas verla frecuentemente.

3. Establece una fecha límite.

Establece una fecha límite realista para completar tu meta. Por ejemplo: «Para el 23 de septiembre, entregaré mi proyecto de trabajo». Sin embargo, ten cuidado con este paso. A veces haces que las metas ocurran a la fuerza y dentro de un periodo de tiempo específico, pero tu elección del tiempo puede hacerlas más difícil, si no imposible, de lograr. Si tu vida ya está sobrecargada, no establezcas una meta mayor que consuma tiempo (a menos que no tengas opción) porque te hará sentir incluso más abrumado. En su lugar, busca márgenes de tiempo que apoyarán tu éxito, e introduce tus metas en esos espacios. Siempre podrás llevar a cabo pequeñas actividades mientras estés esperando, las cuales, por lo tanto, te acercarán a tu meta y construirán impulso para cuando puedas empezar.

4. Programa un momento específico para completar (o trabajar) en tu meta.

El decidir cuándo trabajarás en tu meta aumenta las posibilidades de que dicha meta se concrete. Puedes programarla informalmente en tu cabeza o puedes programarla en tu calendario. Si necesitas cambiar el tiempo que has seleccionado, reemplázalo por un tiempo diferente para asegurarte de que lo hagas.

A veces no sé cuánto tiempo me tomará completar cierta meta. Con mi escritura, podría tomarme una hora escribir cuatro páginas o podría tomarme cinco horas. Por lo tanto, no me establezco *metas de cantidad* con respecto a cuánto planeo escribir (por ejemplo, cuatro páginas al día). Establezco *metas de tiempo*—cuánto tiempo voy a pasar escribiendo (por ejemplo, dos horas al día). Cuando declaro mi meta de esa manera, tengo éxito si simplemente dedico el tiempo, sin importar cuántas páginas produzca.

5. Crea rendición de cuentas.

El grupo de asertividad que mencioné anteriormente tenía incorporado un proceso de responsabilidad. Cuando los participantes establecían una meta, sabían que tenían que regresar la siguiente semana y reportar cómo les había ido. La motivación rara vez era un problema. Para tus metas más duras, hazte responsable: mantente en contacto con un amigo acerca de tu progreso cada semana; trabaja con un grupo de gente con la misma mentalidad y repórtense unos a otros, o usa correo electrónico y publicaciones en los medios sociales para publicar tu progreso. Encuentra lo que funcione para ti.

6. Incluye apoyo.

En una ocasión, me impuse una meta de nadar una vez a la semana. Sabía que sería difícil para mí ir a nadar—después de que anocheciera y en pleno invierno—en una piscina que estaba climatizada, pero estaría más fría de lo normal. Por lo tanto, me hice de una compañera. Podría romper mi promesa hacia mí misma, pero nunca lo haría con una amiga. El apoyo de Melissa me mantuvo yendo a la piscina cada semana hasta que se convirtió en un hábito. Cuando ella tuvo que dejar de nadar, yo seguí yendo sola, pero no creo que hubiese llegado tan lejos sin ella. Encuentra personas u otros recursos en tu entorno para apoyarte en lograr tus metas. Puede hacer toda la diferencia en si logras el éxito o no.

7. Desglosa las metas complejas en pasos manejables.

Algunas metas son simples y requieren poca planeación (por ejemplo, «Pagar mis cuentas antes de salir de la ciudad»). Estas metas a corto plazo pueden insertarse en tu horario como el tiempo lo permita. Las metas a largo plazo son más complejas y requieren más planeación, por lo tanto, es importante desglosarlas en actividades más pequeñas.

Escribir todos los pasos que necesitas seguir para lograr tu meta es una buena idea. Luego, puedes regresar y numerar los pasos en el orden en que los llevarás a cabo, y establecer una fecha límite razonable para cada uno. Las actividades individuales se verían como esto:

Número	Fecha límite	Actividad

Una vez que identifiques todos los pasos y fechas límite, anótalos en tu calendario; luego, haz una cita contigo mismo para completar cada una.

8. Usa la visualización.

La energía sigue a los pensamientos. Puedes usar tus pensamientos para crear una vía en tu cerebro para que tus acciones hagan lo propio. Visualizarte a ti mismo completando tu meta hace justo eso. Pasa al Apéndice F y haz el ejercicio de visualización para establecer metas, el cual, por cierto, también es usado por atletas de clase mundial para ayudarles a lograr sus metas.[69] Solo lleva unos cuantos minutos y todas las instrucciones están incluidas.

9. Recompénsate en cuanto completes tu meta.

Encuentra recompensas que disfrutes—ver tu programa favorito de televisión, pasar tiempo en medios sociales o llamar a un amigo—y úsalas después de completar tus metas.

Ten cuidado a la hora de usar la comida o las compras como recompensa. Tus recompensas deben ser saludables, o por lo menos no insalubres. Puede que necesites experimentar para encontrar las que funcionen para ti.

Mi programa de posgrado requería un montón de lectura. Llegaba a casa después de un largo día de trabajo y clases para enfrentar una imponente cantidad de lectura y estudio. Debido a que necesitaba relajarme primero, ponía algo de música; pero luego me metía tanto en la música que olvidaba estudiar. Por lo tanto, cambié las cosas para hacer que la música fuera mi recompensa por estudiar: tomaba un pequeño descanso cuando llegaba a casa; luego estudiaba y *después* ponía la música. Fue un cambio pequeño en la secuencia de mi día, pero hizo una enorme diferencia sobre cuánto lograba hacer.

10. Evalúa tu éxito.

Después de que completes tu meta, evalúa qué tan bien lo hiciste. ¿Tuviste un 100 por ciento de éxito o solo un 75 por ciento? Sé justo—tu tendencia será calificarte por debajo de lo que mereces. Vuelve a considerar cómo determinaste tu meta; usa eso para decidir tu grado de éxito. Basa tu evaluación solo en lo que hiciste o no hiciste, y no en las consecuencias de tu meta, por ejemplo, cómo otra persona respondió a tus intentos de cumplir tu meta.

Prepárate una situación en la cual «no puedes perder». Aun cuando no hayas logrado tu meta, todavía puedes «ganar» al aprender por qué no tuviste éxito o cómo saboteaste tus propios esfuerzos. A veces, estas lecciones derivadas de establecer metas son más importantes que lograr las metas. Aprende de tus experiencias y no sientas culpabilidad. Anota tus lecciones en el Formulario de Establecimiento de Metas. Si tuviste problemas logrando una meta, apunta lo que necesitas hacer de forma diferente para triunfar. Puede que quieras establecer la misma meta otra vez; por lo tanto, guarda todos tus formularios. Así podrás incorporar lo que aprendiste de tu intento infructuoso.

Querer mejorar tu vida es un deseo natural. Por lo tanto, toma ese deseo y canalízalo en el establecimiento de metas. Una vez que descifres cómo lograr tus metas, puedes crear el futuro de tus sueños—lo cual explica por qué establecer metas es algo tan poderoso. Tienes la oportunidad—y las herramientas—para hacer tus sueños realidad.

---

41. Actividades

Haz varias copias del Apéndice E, el Formulario para Establecer Metas. Sigue las instrucciones para establecer metas. (La primera vez que sigas los pasos, elige una meta fácil, una en la que estés 90–95 por ciento seguro de que puedas lograrla. Quieres prepararte para el éxito. Guarda tus metas más desafiantes para más adelante cuando tengas más experiencia con el proceso y cuando tengas más confianza en tus capacidades. También te sugiero que comiences con una meta a corto plazo, una que puedas completar dentro de la próxima semana). Entiende que, para ser bueno en el establecimiento de metas, necesitas practicar, practicar y practicar. Recuerda guardar todos tus formularios después de usarlos.

Si no alcanzaste tu meta, establece la misma meta otra vez. Sin embargo, si aprendiste que no era la meta correcta o el momento adecuado, enfócate en otra meta. A medida que obtengas más experiencia trabajando con tus metas, puedes seleccionar las más difíciles.

Siempre y cuando uses cada resultado como una experiencia de aprendizaje, no puedes «fracasar» en esta actividad. A veces, lo que aprendes al no lograr tu meta es mucho más valioso que de hecho lograrla.

Aprender a brillar

La mejor forma de aprender a establecer metas es comenzar con metas fáciles. Aprende los pasos, y avanza hacia metas más desafiantes. Estate atento en cuanto al momento adecuado y cuando sea correcto, incluye a aquellas personas que apoyen tu propósito o vocación. Una vez que logres dominar los pasos para el establecimiento de metas, te darás cuenta de que puedes usar esos mismos pasos para lograr todo tipo de metas—cuando sea y donde sea que quieras.

Y algo casi mágico ocurre cuando una persona se vuelve buena en establecer metas. Su autoestima se eleva varios niveles. Lo escucharás en sus palabras, las cuales pasarán de ser referencias generales de impotencia y frustración a ser palabras que reflejen un nuevo sentido de empoderamiento. La persona se dirá a sí misma: *Es bueno saber que puedo cambiar cosas en mi vida.* Comenzará a imaginar cómo sería alcanzar metas aún más altas, y se plantearán cómo llegar allí.

Su lenguaje corporal también cambia: la persona se para más recta; camina con paso más firme. Notarás más autoconfianza en su voz. Se vuelve más intencional y segura. Tiene más brillo en sus ojos.

Roy E. Disney, el sobrino de Walt Disney, una vez dijo: «No es difícil tomar decisiones cuando sabes cuáles son tus valores». Cuando tus valores más importantes se centran en satisfacer el propósito de tu vida, todas tus otras decisiones se vuelven más fáciles. Todo lo demás cae en su lugar alrededor de tus prioridades. Tu chispa interior de lo divino, la parte que es auténtica, comienza a jugar un rol más grande en tu vida a medida que continúas completando metas que apoyen tu propósito. Te conviertes en la persona que siempre estabas destinado a ser. Creces y te transformas en tu mejor versión. Cuando eso pase, puede que te asustes. Y quizás otros no te animen como esperabas. Tal como lo predijo Joseph Campbell en su libro *El héroe de las mil caras*, serás puesto a prueba y tendrás que demostrar que tienes la capacidad y tenacidad para persistir hasta el final del viaje.[70]

Cuando tengo problemas con mis metas, a veces me ayuda repasar los 10 pasos cubiertos en la sección previa. Con frecuencia, me doy cuenta de que no tengo una motivación sincera o la meta no es realista desde el comienzo. O descubro que alcanzar mi meta me tomará más tiempo de lo que pensaba. A veces, me doy cuenta de que me he establecido la meta equivocada, y necesito ir hacia una dirección diferente. Y a veces no puedo alcanzar mi meta porque el tiempo no es correcto—lo que fue mi caso al escribir este libro. Sabía que quería escribirlo, pero estaba trabajando de tiempo completo y no tenía el tiempo o el enfoque mental para escribir de la forma que lo merecía. Por lo tanto, mientras esperaba el tiempo correcto, trabajé en otras metas, tales como asistir a conferencias de escritores, planificar mi retiro, crecer espiritualmente y dedicarme de lleno al trabajo que tenía.

Finalmente, el día llegó, y me convertí en una retirada oficial. Pensé que pasaría a gozar de una felicidad sin fin como escritora y conferencista motivacional. Bueno, esa fantasía se hizo pedazos rápidamente. El primer borrador de mi libro había fluido de mi con poco esfuerzo. Por lo tanto, yo esperaba una experiencia similar cuando trabajara en el segundo borrador. Sin embargo, me di cuenta de que reescribir un libro que había redactado años antes era mucho más difícil. Tuve que encontrar una nueva voz de escritora. Tuve que desaprender mi estilo de escritura académica y dominar una serie de habilidades completamente nuevas que fueran más adecuadas para el mercado de la autoayuda. A medida que mis capacidades mejoraban, la escritura se hacía más fácil. Sí, hubo periodos de euforia creativa, pero por lo general, era solo trabajo duro. Muchas veces, me topé contra un muro mental mientras intentaba terminar el borrador final. No obstante, me levantaba y volvía a escribir. Una y otra vez.

Después de un tiempo, noté una dinámica interesante desenvolviéndose en mi vida: me separé de mis reveses y agotamiento. Sí, me estaba sintiendo abrumada y frustrada, pero esas emociones no me hicieron descarrilarme. Me dije a mí misma que eran solo parte de la experiencia, y seguí avanzando—un paso a la vez, una palabra a la vez. Confié en que finalmente llegaría a donde quería llegar. El psicólogo Albert Ellis estudió esto en la gente con la que trabajaba; él lo llamó: *intolerancia a la frustración*.[71] Él se dio cuenta de que cuando sus pacientes aprendían a tolerar mayores niveles de frustración, podían triunfar en metas más desafiantes. Los atletas de primer nivel, aquellos que pueden resistir a sus mentes y cuerpos para lograr hazañas asombrosas, tienen capacidades increíblemente bien desarrolladas para manejar la frustración. La psicóloga Angela Duckworth estudió a niños en edad escolar provenientes de ambientes horribles que perseveraron y llegaron a ser exitosos. Ella escribió un libro en el que llama al factor determinante *agallas*.[72] Ella dice que es el autocontrol, la determinación, tenacidad y resistencia la que hace la diferencia entre lograr algo y abandonarlo. Esa determinación, amigo, es lo que desarrollas cuando continúas mejorando tus capacidades para manejar la frustración. Y el establecer metas proporciona una forma excelente de mejorar tus habilidades.

Técnicas para ayudarte a lograr tus metas

Albert Ellis dijo que la forma de mejorar en la intolerancia a la frustración es cambiar tus creencias acerca de la tarea.[73] Y al cambiar tus creencias, cambias tu diálogo interno. Cuando me topé con un muro mental por la enésima vez, me dije a mí misma: *Ya has estado aquí antes. Sabes que la única forma para superar esto es seguir escribiendo. Toma un descanso si lo necesitas, pero no te detengas por completo.* Si te hablas a ti mismo como le hablarías a un niño o amigo que esté al límite, puede ayudarte a reunir fuerzas dentro de ti para encontrar tu resistencia y agallas.

Además de usar el diálogo interno para mejorar tu intolerancia a la frustración, ¿qué otras técnicas puedes intentar cuando una meta es inusualmente difícil de lograr? Aquí están las que uso más:

1. Aprende cómo manejar el temor.

La gente queda marginada por el miedo todo el tiempo; es uno de los más grandes «obstáculos». Por lo tanto, estate atento cuando tu miedo se convierta en un obstáculo. Trata de identificar cualquier creencia que esté detrás del temor. También, trata de identificar cualquier diálogo interno que lo perpetúe. El decirte a ti mismo: *«No le caeré bien a fulanito si soy demasiado exitoso»* puede o no puede ser verdad. Aprende a hablar racionalmente y resolver tu miedo.

No todos los temores son malos. Algunos te advierten de amenazas legítimas para poder anticiparlas y abordarlas. Como todas tus otras emociones, el miedo es una forma de energía. Puedes aprovechar su energía para lograr desafíos saludables.

También puedes aprender a permitirle ser tu maestro y amigo. Lo que no puedes hacer es dejarlo conducir tu vida.

Si todavía estás asustado a pesar de tus mejores esfuerzos, tu temor puede estarte dando un mensaje. Hazte estas preguntas:

- ¿Qué está intentando enseñarme mi miedo?
- ¿Qué es lo peor que puede pasar si completo mi meta?
- ¿Qué es lo mejor que puede pasar?
- ¿Puedo manejar tanto los peores como los mejores resultados? Si no, ¿qué es lo siguiente que puedo hacer?

2. Habla con otras personas.

Si quedas estancado en una meta, habla con otros que estén intentando hacer lo mismo. A veces, saber que otras personas están experimentando las mismas frustraciones te ayuda a sentirte normal y menos solo. O habla con amigos que te escuchen mientras expresas tus sentimientos. Puede que no estén haciendo lo mismo, pero aún pueden apoyarte.

3. Encárgate de las relaciones limitantes.

A veces, la gente a tu alrededor hace que te sea más difícil lograr tus metas. Las personas quieren mantener sus relaciones de la forma que siempre han sido. Por consiguiente, si tú cambias, a veces trataran de hacerte retroceder. Las dinámicas de las relaciones cambiarán a medida que tú cambies. Puedes distanciarte de algunos de los pesimistas, pero a veces necesitarás establecer límites con aquellas personas que no puedas evitar. Es entendible que se sientan amenazados con tu cambio, pero no les permitas detener tu progreso.

4. Recuerda por qué estableciste tu meta.

Una de las técnicas más poderosas es recordarte a ti mismo

por qué estás trabajando en tu meta. Es esa motivación sincera que mencioné anteriormente. Para mí, era recordarme a mí misma que escribir este libro era parte del porqué estoy aquí en la tierra.

5. Usa la proyección para anticipar remordimientos.

Proyectarte hacia el futuro—imaginando que estás al final de tu vida evaluando cómo lo hiciste—te brinda claridad instantánea. Cuando imagino que estoy cerca del final de mi vida, repasando mis decisiones y experiencias, de ninguna manera voy a irme sin un libro terminado—¡es así de importante para mí! Quizá descubras que tu meta no vale la pena el tiempo y esfuerzo para alcanzarla—y eso está bien. Pero aprende a imaginar tu futuro y luego ver si sientes el arrepentimiento anticipado del que hablé en el capítulo 5.

En algún momento, necesitas preguntarte a ti mismo: ¿Por qué estoy aquí? ¿Qué se supone que debo hacer con mi tiempo y mi vida? ¿Cuál es mi llamado en la vida? ¿Cuál es la mejor manera de usar mis dones y talentos para encontrar felicidad personal y hacer una diferencia en el mundo? ¿Qué voy a lamentar si no lo hago? Una vez que tengas claro tu propósito, puedes usar los pasos de establecimiento de metas para hacer que suceda.

Incluso si sientes que ya has logrado tu misión para esta vida, siempre puedes extender tu alcance para hacer más, para hacer un impacto mayor. Siempre puedes tomar el siguiente paso en tu crecimiento y desarrollo. E invariablemente, puedes encontrar más formas de mejorar tu vida y las vidas de otros.

---

42. Actividades

A medida que te vayas desafiando a ti mismo con

el establecimiento de metas, te encontrarás con obstáculos, contratiempos y frustraciones. Prueba las siguientes sugerencias para mantenerte en el buen camino:

1. Asegúrate de que tus metas sean realistas. Si no tuviste éxito en tu meta, aunque estuviste el 75 % seguro de que lo harías, pregúntate:

- ¿Mi meta llevará más tiempo del que pensé?
- ¿Es la meta correcta?
- ¿Es el momento correcto para que yo complete mi meta?

2. Desarrolla más tolerancia a la frustración. Tus metas más desafiantes generalmente llevan a periodos de frustración. Cuando eso pase, pregúntate si necesitas perseverar. ¿Necesitas cambiar tus creencias, expectativas y diálogo interno?

3. Reconoce el miedo cuando aparezca. Encuentra formas de lidiar con él para que no se convierta en un «obstáculo». También, tu temor puede estar tratando de decirte algo, por lo tanto, no lo desestimes.

4. Busca apoyo de otras personas. El tener a alguien de tu lado puede ayudarte a avanzar.

5. Recuérdate a ti mismo por qué elegiste tu meta. Si no tienes una motivación sincera de lo que estás intentando, puede ser difícil triunfar en las metas más difíciles.

6. Proyéctate hacia el futuro. Imagina que estás al final de tu vida viendo el pasado, y no completaste tu meta. ¿Eso estaría bien? O ¿lamentarías no haber reunido las fuerzas necesarias para terminarla?

Cuando estableces metas desafiantes, intencionalmente creas situaciones que serán frustrantes. Pero ese sentimiento de éxito que tienes tras lograr una meta difícil no tiene igual. Sigue practicando hasta que los pasos se hagan automáticos y tus metas te ayuden a llegar a ser la persona que fuiste creada para ser, haciendo lo que se supone que debes hacer.

Capítulo 11

Enseñar lo que aprendes

Compartir con otros para el beneficio de todos

Frank Laubach sirvió como misionero en Filipinas en 1930.[74] Las personas a las que él deseaba servir no mostraban mucho interés en ser salvadas, pero él estaba determinado a mejorar sus precarias condiciones de vida. Puesto que muchos de ellos no sabían leer, comenzó a enseñarles habilidades básicas de lectura. Animó a cada persona a la que enseñaba que en cambio enseñaran a otra persona, y sus esfuerzos llegaron a ser conocidos como «cada uno enseña a otro», un concepto que se originó con los esclavos en los EE. UU., quienes se dieron cuenta que leer y adquirir educación podría llevarlos a la emancipación.[75] El Dr. Laubach luego formaría una organización que al día de hoy, ha llegado a ser parte de una organización mundial llamada ProLiteracy.[76] Millones de adultos en más de 100 países han superado el analfabetismo debido a sus acciones.

El conocimiento es poder, y cuando a eso le agregas capacidades, tienes una llave de libertad para todos, no para solo aquellos que estén oprimidos. La educación es un regalo increíblemente valioso para compartir. Nelson Mandela dijo: «La educación es el arma más poderosa que puedes usar para cambiar al mundo». El cambio comienza con un solo pensamiento y una voluntad por hacer que las cosas pasen. Por lo tanto, si quieres hacer una diferencia en el mundo, cambia tus pensamientos. Cuando aprendes tus lecciones de vida, comienzas a pensar de diferentes maneras. Esos momentos *ajá* crean un cambio en tu conciencia. Y al compartir lo que has aprendido de las lecciones de vida que has dominado, puedes llegar a ser un hacedor de cambios.

Las recompensas de dar

Algunas de las lecciones que aprendes aplican solamente para ti. Por ejemplo, quizá descifres cómo tu relación con un padre tiene una dinámica que contribuye a cómo eres hoy. Al aprender esa lección, quizá puedas resolver cuestiones personales y disfrutar de relaciones más saludables.

Otras lecciones que aprendes pueden beneficiar a otras personas. Por ejemplo, los padres lo hacen todos los días como parte de la crianza de sus hijos. Los amigos y familiares comparten información. Como maestra, yo disfruto de ayudar a mis estudiantes a dominar nuevos conceptos. Muchos tipos de medios sociales le permiten a cualquiera compartir sus descubrimientos más recientes, negocios y capacidades con gente en todo el mundo. Los autores han escrito cientos de libros que describen las lecciones de vida que han aprendido—y la gente las está leyendo. Es natural querer compartir el conocimiento y las habilidades.

El enseñar a alguien lo que has aprendido te ayuda a aprenderlo aún mejor. Cuando tienes que explicar los diferentes aspectos de lo que has descifrado, puedes cimentar y ensanchar tu propio entendimiento. Además, te conviertes tanto en maestro como estudiante porque la persona a la que estés enseñando puede ser alguien que incremente tu aprendizaje. No puedo decirte cuántas veces la pregunta de un estudiante ha llevado mi conocimiento a un nuevo nivel.

Un colega mío escribió una autobiografía para su familia, especialmente para sus hijos y nietos. Escribió historias acerca de eventos de su vida y las lecciones de vida que él aprendió de sus experiencias. El compartir estas perlas de sabiduría puede hacer que cualquier escrito sea más significativo.

La autora Sharon Wegscheider-Cruse escribió un libro, *Becoming a Sage: Discovering Life's Lessons, One Story at a Time* (Llegando a ser un sabio: Descubriendo las lecciones de la vida una historia a la vez), en el cual ella anima a todos a escribir las lecciones sacadas de sus experiencias de vida, y sugiere compartirlas más seguido con otros para que puedan beneficiarse de su sabio consejo.[77] Como la presidenta fundadora de la National Association for Children of Alcoholics (Asociación Nacional para los Hijos de Alcohólicos), ella ha compartido sus lecciones, sabiduría y propósito para ayudar a las familias de aquellos que son adictos al alcohol o las drogas.

Amigo, tú tienes una historia que contar. ¿Por qué no compartirla—por lo menos con familia y amigos? Es fácil incluir las lecciones de vida que te ayudaron a llegar dónde estás ahora.

Dar a través de tu propósito en la vida

Una de las experiencias más gratificantes que puedes crear es cuando compartes con otros *mientras* estás persiguiendo tu felicidad. Ayudar a otros a satisfacer sus necesidades al realizar tu pasión y propósito puede traerte un gozo indescriptible. Y compartir tus lecciones, pasión y propósito significa que más termina regresando a ti. Tu entrega es como una corriente de energía que sale y luego circula de regreso a ti con los regalos que das a otros. Dar y recibir forman parte del mismo círculo— si no bloqueas la corriente.

Yo luchaba con la codependencia. Hacía cosas para otros que ellos mismos necesitaban hacer para sí mismos—porque necesitaba que ellos me necesitaran. El dar a otros por causa de mi codependencia me hacía sentir que estaba en control. Sin embargo, cuando otras personas me daban, me sentía incómoda y vulnerable. Estoy feliz de finalmente haber aprendido la lección acerca de la corriente de dar y recibir. Ahora, cuando me llegan buenas cosas debido a mi entrega, me siento agradecida, no incómoda. Cuando doy a otros sin ninguna necesidad de ser necesitada o sin pensamientos de recompensa, recibo aún más dicha. Me siento más feliz cuando me enfoco en *dar* en lugar de *recibir*. Cuando doy a otros de formas saludables—mis necesidades también son satisfechas a un nivel profundamente gratificante.

Sin embargo, obtienes mucha más gratificación cuando ayudas a otros. Los estudios han descubierto que la gente que ayuda a otros es más saludable, y la gente que compra regalos para otros o quienes hacen contribuciones de caridad están más felices que aquellos que gastan dinero en ellos mismos. Los investigadores también han descubierto que aquellos que se enfocan en dar a otros terminan en la parte superior de la escalera del éxito—si también se enfocan en cuidar de ellos mismos.[78] Si das y das sin poner atención al cuidado propio, probablemente terminarás agotado. Deberás establecer límites que te permitan también enfocarte en tus necesidades. Una de las mejores formas de dar es ser un ejemplo de cómo vivir una vida auténtica. Tus hijos aprenden más de tu conducta que de tus palabras; otros en tu entorno lo hacen también. El vivir tu vida con propósito al ser fiel a tu autenticidad te convertirá en una fuerza poderosa—lo que puede causar un efecto dominó que cambie tu mundo. Una de mis citas favoritas viene de Marianne Williamson:

Nuestro miedo más profundo no es que seamos inadecuados. Nuestro miedo más profundo es que tengamos poder inconmensurable. Es nuestra luz, no nuestra oscuridad, lo que nos aterra... Y conforme dejamos que nuestra luz propia brille, inconscientemente permitimos lo mismo en los demás. Y al liberarnos de nuestro propio miedo, nuestra presencia automáticamente libera a otros.[79]

El responder a tu vocación puede tener un efecto en otros que no siempre puedes ver o anticipar. El Universo puede tomar tu tiempo, talentos e intenciones puras y convertirlas en formas de hacer una diferencia positiva.

Amigo, ¿no crees que ya es tiempo de aprender a decir «Sí» a la alegría y pasión dentro de ti? ¿No es tiempo de decir «Sí» a esa voz intuitiva que te sigue llamando para que sigas tus sueños? Porque cuando aprendes a dejar que la luz de tu auténtico ser brille, le das a otros el ejemplo y libertad para hacer lo mismo.

---

43. *Actividades*

1. *Pregúntate: ¿Qué aprendí o reaprendí hoy? Esto te ayudará a llegar a estar más consciente de tu aprendizaje. Involucra a tus hijos: pregúntales lo que aprendieron hoy. Esta es una manera maravillosa de ofrecer tu sabiduría práctica para su beneficio. Puede que necesites darles ejemplos de cómo empezar, pero esto garantiza grandes conversaciones a la hora de cenar. Esta es también una buena forma de enseñarte a ti mismo (y a otros) a estar atento a todo tipo de nuevo aprendizaje, incluyendo lecciones de vida.*

2. *Mantén un diario de lecciones de vida. Yo*

escribo en mi diario regularmente. No incluyo todas las lecciones que estoy aprendiendo—solo las más importantes. Y ¿quién sabe? Algún día, puede que quieras convertir tu diario en un libro para tus hijos, nietos u otros—lo que sería una forma maravillosa de transmitirles tu sabiduría práctica. Hoy en día, hay muchas opciones disponibles para la autopublicación.

3. *Escribe una historia acerca de una lección de vida que aprendiste. Incluye cómo aprendiste tu lección. Luego, comparte tu historia con al menos una otra persona: imprímela y pégala en tu refrigerador para que la puedan leer familiares, envíala por correo electrónico a un amigo o publícala en Facebook. Al compartir tus lecciones de vida, animas a otros a hacer lo mismo, y dejas que tu luz interior brille.*

4. *Atrévete a alcanzar las metas que te permitirán vivir tus sueños y completar tu propósito. Cuando lo haces, te convertirás en un ejemplo y luz para otros. Si estás temeroso o preocupado acerca de la reacción, relee la cita de Marianne Williamson, y luego encuentra el apoyo que necesites para superar con fuerza a tu temor.*

Encontrar tu lugar

Cuando me retiré, sabía que reescribiría el primer borrador de este libro. Quería comenzar por visitar un lugar donde pudiera sentirme rejuvenecida e inspirada. Recordé la historia de James Redfield (mencionada en el capítulo 4) y decidí que Sedona, Arizona sería mi destino. Siempre había querido visitarla de todas maneras. Pero nunca lo hice. Resulta que no tuve necesidad de ir. Me conecté a mi intuición allí mismo en mi hogar. La inspiración que estaba buscando no estaba en un lugar físico; ya estaba dentro de mí. Después de contarle a una amiga acerca de mi experiencia, ella dijo: «Ah, entonces, encontraste tu Sedona interior». Sí, fue exactamente así.

La escuela de la vida te enseña sin importar dónde estés. Sin embargo, algunos lugares facilitan tus siguientes pasos en el aprendizaje mejor que otros. Quizá necesites entrenamiento y experiencias de vida antes de que cumplas con tu misión, por lo tanto, vas a la escuela en una ciudad diferente; o te casas y tomas un trabajo fuera de tu área donde encuentras inspiración para seguir un camino diferente en la vida. Todas estas experiencias se convierten en oportunidades para aprender más acerca de tu llamado especial, o tomar un paso más hacia completarlo. Puede que estés familiarizado con un famoso adagio que dice: «Florece donde estás plantado». Cuando consideras el mejor lugar para satisfacer la misión de tu vida, este adagio parece tener validez en dos formas: primero, puede que seas una de esas personas que siente que su propósito en la vida yace en dar absolutamente lo mejor de ti a tu familia; te sientes más feliz y más satisfecho cuando das a través de tu amor, tiempo y apoyo financiero. En cualquier momento en que puedas apoyar a tu familia, estás en tu lugar correcto y puedes florecer. Segundo, encontrar el lugar correcto para cumplir tu propósito de vida siempre comienza en el interior. Tienes que conocerte a ti mismo lo suficiente para aprender qué es lo que te trae gozo, lo que da luz a tu fuego, hacia qué sueles gravitar y lo que te sostiene a un nivel profundo. En este sentido, tu lugar correcto siempre comienza y permanece dentro de ti a través de la conexión que tienes con tu verdad interna. Algunas veces, tu intuición te guiará a lugares que puedan ayudarte a conectar con la sabiduría e inspiración interna, como en el caso de Redfield. Conozco a mucha gente que siente una urgencia por vivir en un cierto lugar (por ejemplo, con un grupo de personas afines), donde desarrollan y ofrecen sus dones.

Pero el lugar por sí mismo es solo un recurso para descubrir más de tu entorno intuitivo. Incluso si descubres que es mejor cumplir con tu propósito en alguna otra ubicación geográfica, ese lugar físico ocupa un plano secundario con respecto a la conexión que tienes con tu intuición, con tu fuente instintiva de creatividad. Cuanto más alimentas la llama de tu pasión y vocación, más brilla. Te haces más y más auténtico, llevando la vida que tu alma quiere vivir. Una vez que tu conexión a tu verdadero ser es lo suficientemente fuerte, puedes florecer al compartir tus dones y talentos, sin importar dónde estés.

Continuar brillando

La fallecida Maya Angelou ofreció tanta sabiduría durante su tiempo aquí. Leí una historia acerca de una plática que dio en un colegio comunitario en California hace años.[80] Mientras caminaba hacia el podio, ella cantó «This Little Light of Mine», una canción para niños que proporciona un modelo para llevar una vida que trae felicidad y éxito, y dejar el mundo como un mejor lugar. La canción repite esta línea: «This little light of mine, I'm gonna let it shine» (Esta lucecita mía, la dejaré brillar). Cuanto más vives tu propósito, más brillante se hace tu luz interior.

Para algunas personas, descubrir y satisfacer su propósito parece ser fácil. Para la gente que conozco, cuyo propósito principal es amar a sus familias, el cumplir con su misión parece tan natural como respirar. Trabajan duro en ello, pero disfrutan de casi cada minuto. Y a menudo, su definición de familia se expande, y ofrecen su apoyo a un círculo más amplio, tocando las vidas de muchos más.

Otros luchan solo para descifrar cuál es su propósito. Y ese propósito puede ser difícil de lograr. Amigo, en cualquier grupo que estés, siempre y cuando hagas lo mejor que puedas con lo que estés llamado a hacer, tus esfuerzos sinceros con el tiempo resultarán en hacerte la mejor versión de ti. Cuando haces lo que viniste a hacer, tu intención convocará a toda la Providencia para ayudarte en tu camino.

A veces, tu pensamiento será descarrilado al creer que la meta en la vida es ser feliz todo el tiempo. La vida tiene altibajos, con todas las emociones que los acompañan. Tu trabajo es dar la bienvenida a cada uno de esos sentimientos—los negativos junto con los positivos—experimentarlos, expresarlos si necesitas hacerlo, y luego dejarlos ir.

Si eres fiel a tu llamado, te encontrarás con barricadas externas y obstáculos internos. Tus metas y sueños pueden ser tan elevados, tan difíciles de lograr, que seguramente te sentirás frustrado, abrumado, desanimado e inadecuado en diferentes momentos a lo largo del camino. Pero si te apegas a tus metas, el sentido de cumplimiento al final se convierte en una corona de gloria por todo tu trabajo duro y persistencia obstinada. Puede que no siempre te sientas feliz, pero puedes experimentar un sentimiento subyacente de paz interna. Sabes que estás haciendo lo que fuiste creado para hacer, por lo tanto, sabes que tus esfuerzos son valiosos e incluso nobles. La felicidad entonces llega a ser más como un estado interno en lugar de ser una reacción de obtener lo que quieres. Yo sabía que había alcanzado un hito en mi desarrollo cuando comencé a sentirme feliz sin razón aparente. Nada en mi mundo externo había cambiado, pero tenía un sentido profundo de alegría—lo que llevó a sentimientos de gratitud y más alegría, y luego más gratitud. Estas dos emociones se alimentan una a otra y pueden hacer que la jornada de la vida sea una delicia providencial.

Sí, hacer un cambio mayor es un trabajo desde dentro. Cuando cambias la relación que tienes contigo mismo—cuando cambias la forma en que te hablas a ti mismo—también cambias la forma en que te relacionas con otros. El acto de aprender y crecer cambia quién eres, por lo tanto, a medida que dominas más lecciones en tu vida, te vuelves más fuerte, más valiente, más resistente y más lleno de bondad, felicidad y esperanza. Encontrarás que cuanto más avances en la escuela de la vida y más crecimiento personal logres, más querrás tomar mejor cuidado de tu mente y cuerpo. Cuando paso por largos tramos de aguas turbulentas (capítulo 2), estoy fuera de balance. Para mí, el estrés de varios desafíos, incluso cuando son cambios positivos, puede pasarme factura. Mantenerse enfocado por largos periodos de tiempo es agotador. Y si no tengo periodos tranquilos que me ayuden a recuperarme mientras tanto, cometo errores donde normalmente soy competente. Por lo tanto, durante esos periodos largos de estrés, sé que debo cuidarme al apegarme a mi fundación básica de dieta, sueño, ejercicio y meditación. Todavía me estreso, pero puedo minimizar los trastornos y mantenerme cerca de mi zona óptima de estrés.

A medida que aprendas tus lecciones de los maestros internos y externos en tu vida, desarrollar hábitos saludables se hace más fácil. Y cuando te sientes mejor debido a estos nuevos hábitos, querrás seguir avanzando. Una vez que el cumplir con tu propósito alcance un cierto nivel de importancia, querrás tomar mejor cuidado de tu salud.

Muchos años antes, tuve un sueño de que la vida se había convertido el algo difícil y aterrador para todos en la Tierra. Ninguna de mis técnicas usuales de adaptación me daba alivio, y en la desesperación, clamé al Universo por ayuda. Justo cuando pensé que ya no podría soportarlo, una intensa ráfaga de luz explotó a mi alrededor e iluminó cada célula en mi cuerpo y me dio un profundo sentido de paz. Bajé mi mirada hacia mis manos y vi que estaba sosteniendo una pequeña vela con una llama pequeñita, la única evidencia de lo que acababa de experimentar. No estaba segura de lo que debía hacer con mi vela, por lo tanto, cerré mis ojos y le pregunté a mi intuición. Sin usar palabras, mi intuición me dijo que la usara para prender las velas de la gente a mi alrededor. Fue solo entonces que noté que cientos de personas también tenían velas en sus manos. Esas personas luego voltearon y encendieron las velas de los más cercanos a ellos. Yo observaba asombrada cómo cada persona con una vela encendida volteaba y encendía las velas de las otras personas junto a ella. Pronto, cada persona sostenía una luz.

Amigo, tú puedes compartir tu luz con otros. Cuanto más te conviertas en tu ser auténtico y cuanto más desarrolles tu potencial de hacer lo que fuiste creado para hacer, más viva y resplandeciente brillará tu luz. Y mientras eso pasa, motivas a otros para hacer lo mismo. Es algo espontáneo, contagioso y verdaderamente imponente. A medida que progreses en tu escuela metafórica, el paisaje de tu vida cambia. Te ganas tu entrada a clases más difíciles. Desarrollas el conocimiento y las habilidades para ser exitoso debido a los exámenes que tuviste que pasar en tus clases anteriores. Tu mundo y paisaje internos se ven diferentes a medida que tus sueños se hacen realidad. Creces en tu autenticidad y te conviertes en tu mejor versión, en la persona que siempre has tenido el potencial de llegar a ser.

Está bien sentirse desanimado y aterrado por la oscuridad en el mundo. Sin embargo, puedes tomar la energía de esas emociones y canalizarla hacia una causa valiosa, la cual podría incluir satisfacer tu propósito en la vida. Mantente enfocado en lo que puedas hacer para mejorar las cosas. Alcanza a otros con el amor y la luz que está dentro de ti. Sin importar las circunstancias a tu alrededor, tu mejor opción es ser mejor versión de ti mismo y hacer lo mejor que puedas. Cuando le agregas el poder de la intención a tus esfuerzos, invitas a toda la Providencia a que se te una. Con el tiempo te darás cuenta de que estás haciendo una diferencia—en tu vida y en las vidas de otros.

Tú importas, tus dones y talentos importan y no es coincidencia el que estés en la tierra ahora mismo. Hoy es el momento perfecto de compartir esos dones. Y a pesar de los obstáculos y las penurias que quizá tengas que atravesar, al final, sabrás que cada una de ellas ha valido la pena. Puedes llegar al final de tu vida sin mayores remordimientos. Tus desafíos podrán presentarte las peores y mejores de las experiencias, pero mantente en rumbo. Sigue avanzando— aprende tus lecciones, deja tu huella, transmite tu legado y brilla con luz propia.

Apéndice A
Lista de palabras emotivas[81]

Sentimientos placenteros

Abierto: Comprensivo, seguro, confiable, fácil, asombrado, libre, empático, interesado, satisfecho, receptivo, tolerante, amable.

Feliz: Grandioso, dichoso, gozoso, suertudo, afortunado, encantado, alborozado, jubiloso, agradecido, importante, festivo, eufórico, satisfecho, contento, alegre, risueño, achispado, exaltado, jubiloso.

Vivo: Juguetón, valiente, energético, liberado, optimista, provocativo, impulsivo, libre, retozón, animado, vivaz, emocionado, maravillo.

Bondadoso: Calmado, pacífico, a gusto, cómodo, plácido, animado, listo, sorprendido, contento, tranquilo, convencido, relajado, sereno, libre y flexible, positivo, bendecido, tranquilizado.

Afecto: Amoroso, considerado, afectivo, sensible, tierno, dedicado, atraído, apasionado, admiración, cálido, emocionado, compasión, cercano, amado, consolado, atraído hacia otro.

Interesado: Preocupado, afectado, fascinado, intrigado, absorto, inquisitivo, curioso, observador, concentrado, curioso.

Positivo: Ávido, entusiasta, serio, atento, ansioso, inspirado, determinado, emocionado, entusiasta, audaz, valiente, temerario, desafiado, optimista, fortalecido, confiado, esperanzado.

Fuerte: Impulsivo, libre, seguro, convencido, rebelde, único, dinámico, tenaz, resistente, seguro.

Sentimientos difíciles/no placenteros

Enojado: Irritado, rabioso, hostil, insultante, dolido, molesto, furioso, lleno de odio, desagradable, ofensivo, amargado, agresivo, resentido, exacerbado, provocado, airado, enfurecido, enfadado, enojado, encendido, echando humo, indignado.

Deprimido: Pésimo, decepcionado, desalentado, avergonzado, impotente, disminuido, culpable, insatisfecho, miserable, detestable, repugnante, despreciable, asqueroso, abominable, terrible, desesperado, malhumorado, malo, un sentido de pérdida.

Confundido: Enojado, dudoso, incierto, indeciso, perplejo, avergonzado, vacilante, tímido, estupefacto, desilusionado, incrédulo, escéptico, desconfiado, receloso, perdido, inseguro, intranquilo, pesimista, tenso.

Impotente: Incapaz, solo, paralizado, fatigado, inútil, inferior, vulnerable, vacío, forzado, dudoso, desesperado, frustrado, angustiado, patético, trágico, en problemas, dominado.

Indiferente: Insensible, apagado, despreocupado, neutral, reservado, cansado, aburrido, preocupado, frío, desinteresado, soso.

Temeroso: Terrible, aterrado, sospechoso, ansioso, alarmado, con pánico, nervioso, miedoso, preocupado, asustado, tímido, inestable, inquieto, dudoso, amenazado, cobarde, estremecido, peligrado, receloso.

Herido: Quebrantado, atormentado, despojado, adolorido, torturado, abatido, rechazado, lesionado, ofendido, afligido, dolido, victimizado, desconsolado, agonizante, horrorizado, humillado, agraviado, alienado.

Triste: Lloroso, triste, adolorido, afligido, angustiado, desolado, desesperado, pesimista, infeliz, solitario, apenado, lúgubre, consternado.

Apéndice B

Ejercicio de visualización de guía interna

Tienes una guía interna, un ser sabio que siempre está disponible para compartir su entendimiento, visión y consejo. Algunas personas piensan de esta guía como su intuición, su Poder Supremo o la energía universal que yace dentro de ellos. Hay varias formas de aprovechar la sabiduría de tu guía interna. Este ejercicio es uno de ellos.

Algunas personas se preocupan si no ven algo cuando hacen sus ejercicios de visualización. Puesto que cada persona experimenta la visualización guiada de diferentes formas, está bien si no recibes imágenes o fotografías mentales. Lo que sea que experimentes, te ayudará a conectarte con la parte de ti que contiene la mayor sabiduría y el mejor consejo.

Comienza por identificar algo que quieras o necesites saber. Por ejemplo, puedes preguntarle a tu guía interna acerca de una decisión que necesites tomar o sobre cómo manejar cierta situación.

Una vez que tengas una pregunta en mente, siéntate en una posición cómoda y respira normalmente. Cierra tus ojos e imagina que estás en un bosque y es un día hermoso. Las hojas de los árboles altos forman un dosel de sombra, y te sientes cómodo y en paz. Aunque estas solo, te sientes protegido y seguro.

Cuando miras a tu alrededor, notas un sendero que lleva a una pequeña colina. Decides explorar. Caminas por el sendero una distancia corta hacia un pequeño espacio abierto en el bosque. Cuando llegas allí, ves dos rocas juntas. Te sientas cómodamente en una de las rocas.

Después de poco tiempo, tu guía interna sale del bosque y se sienta en la otra roca, frente a ti. Se saludan los dos cálidamente. Nota cómo se ve tu guía. Observa su presencia gentil y omnisciente. Percibe que el sentarte cerca de tu guía te hace sentir calmado, relajado y con más paz. Los dos siguen sentados en silencio, disfrutando la presencia de cada uno. Cuando te sientas completamente relajado y listo, mira a tu guía y hazle la pregunta que has traído. Luego, espera su respuesta.

La respuesta de tu guía interna puede llegar como una respuesta directa a tu pregunta, o su respuesta puede ser indirecta y menos obvia. Pero confía en que tu guía te ha dado información valiosa acerca de tu pregunta. Si necesitas clarificación o tienes más preguntas, pregúntale a tu guía ahora. Puedes quedarte en este lugar, comunicándote de ida y vuelta, por todo el tiempo que quieras.

Una vez que hayas recibido la información que pediste, da las gracias a tu guía interna por compartir su sabiduría. Luego, ambos pueden regresar al bosque por el mismo camino que vinieron. A medida que empiezas a avanzar por la senda que te llevó a ese lugar especial, ves un regalo a un lado del camino. Detente y recógelo, y luego continúa caminando hacia donde comenzaste. Nota que te sientes calmado, satisfecho y feliz.

Cuando llegues a tu punto de partida, continúas sintiéndote relajado y agradecido por tu experiencia.

Ahora, enfoca tu atención en tu respiración. Toma conciencia de cómo estás sentado y dónde estás sentado. Y cuando estés listo, abre tus ojos y regresa al presente. Sabes que recordarás esta experiencia y los sentimientos de sentirte tranquilo, pacífico y feliz.

Después de que hayas completado este ejercicio de visualización, responde las siguientes preguntas:

1. ¿Tu guía interna se veía como tú esperabas que se viera? Si no es así, ¿cuáles eran las diferencias?

2. ¿Cuál fue la respuesta de tu guía interna a tu pregunta?

3. ¿Qué significó esa respuesta para ti?

4. ¿La respuesta de tu guía contestó tu pregunta? Si no, ¿pediste información adicional? ¿Qué información obtuviste?

5. ¿Qué es lo siguiente que necesitas hacer en términos de tu pregunta?

6. ¿Cuál fue tu regalo?

7. ¿Qué significa el regalo para ti?

Lee este ejercicio en voz alta y grábalo; luego podrás escuchar tu grabación cuando quieras comunicarte con tu guía interna.

Apéndice C
Lista de Modalidades Sensoriales

Descubre tu estilo cognitivo preferido de aprendizaje y autoexpresión. La Lista de Modalidades Sensoriales evalúa las fuerzas de cada una de tus modalidades sensoriales—auditiva, visual y cenestésica.

Hay diez oraciones incompletas y tres opciones para completar cada oración. Algunas de las opciones contienen más de una opción. Si alguna de las opciones te parece típica de ti, califica esa respuesta. No todas las opciones tienen que aplicar a ti.

Lista de Modalidades Sensoriales[82]

Marca con un (3) la respuesta más típica de ti, un (2) a tu segunda opción, y un (1) a la última respuesta.

1. Cuando quiero aprender algo nuevo, generalmente:

A ( ) quiero que alguien me lo explique.

B ( ) quiero leer acerca de ello en un libro o una revista.

C ( ) quiero intentarlo, tomar notas o hacer un modelo de ello.

2. En una fiesta, la mayoría del tiempo me gusta:

A ( ) escuchar y hablar con dos o tres personas al mismo tiempo.

B ( ) ver cómo se ven todos y observar a las personas.

C ( ) bailar, jugar juegos o participar en algunas actividades.

3. Si estuviera ayudando en un programa musical, yo probablemente:

A ( ) escribiría la música, cantaría las canciones o tocaría en el acompañamiento.

B ( ) diseñaría el vestuario, pintaría el escenario o trabajaría en los efectos de luz.

C ( ) elaboraría el vestuario, construiría los escenarios o tomaría un papel de actuación.

4. Cuando estoy enojado, mi primera reacción es:

A ( ) regañar a la gente, reír, bromear o hablarlo con alguien.

B ( ) culparme a mí mismo o a alguien más, fantasear acerca de tomar venganza o mantenerlo dentro.

C ( ) cerrar el puño o tensar mis músculos, descargar la frustración en algo más, golpear o lanzar cosas.

5. Un evento feliz que me gustaría vivir es:

A ( ) escuchar un aplauso estruendoso por mi oratoria o música.

B ( ) tomar la foto premiada de un artículo sensacional en un periódico.

C ( ) lograr la fama de terminar en el primer puesto en una actividad física tal como bailar, actuar, surfear, o un evento deportivo.

6. Yo prefiero a un maestro que:

A ( ) use un método de charlar con explicaciones y discusiones informativas.

B ( ) escriba en el pizarrón, use ayudas visuales y asigne lecturas.

C ( ) requiera afiches, modelos o trabajos prácticos y algunas actividades en clase.

7. Sé que hablo con:

A ( ) diferentes tonos de voz.

B ( ) mis ojos y expresiones faciales.

C ( ) mis manos y gestos.

8. Si tuviera que recordar un evento para poder grabarlo más tarde, elegiría:

A ( ) decírselo en voz alta a alguien, o escuchar una grabación o una canción acerca de ello.

B ( ) ver fotos de ello o leer una descripción.

C ( ) reproducirlo en algún ensayo de práctica al usar movimientos tales como el baile, dramatizando o ejercitando.

9. Cuando cocino algo nuevo, me gusta:

A ( ) tener a alguien que me dé las instrucciones—un amigo o un programa de televisión.

B ( ) leer una receta y juzgar por cómo se ve.

C ( ) usar muchas ollas y utensilios, revolver con frecuencia y probar el sabor.

10. En mi tiempo libre, me gusta:

A ( ) escuchar la radio, hablar por teléfono o asistir a un evento musical.

B ( ) ir al cine, ver televisión o leer una revista o libro.

C ( ) hacer algo de ejercicio, ir a caminar, jugar juegos o hacer cosas.

Totaliza todas las opciones *A* _____ Auditivas

Totaliza todas las opciones *B* _____ Visuales

Totaliza todas las opciones *C* _____ Cenestésicas

Observa los tres puntajes que agregaste. Irán de 10 a 30, y el total 60. El puntaje **auditivo** significa que aprendes y te expresas a través de sonidos y de oír. El puntaje **visual** significa que aprendes y te expresas con los ojos—al ver cosas por escrito, a color y con imágenes. El puntaje **cenestésico** significa que aprendes y te expresas a través de la actividad física y la práctica.

Si los puntajes están separados por cuatro puntos o menos de cada uno, tienes una modalidad mixta, lo que significa que procesas información en cualquier modalidad sensorial con una facilidad balanceada. Si hay cinco puntos o más de diferencia entre cualquiera de los puntajes, tienes una fuerza relativa en esa modalidad comparada a los otros. Puede que tengas dos modalidades que parezcan más fuertes, lo que significa que aprendes y te expresas más naturalmente en las modalidades con promedios más grandes.

No hay elecciones correctas o incorrectas de las modalidades sensoriales. Esta lista de verificación es una escala de logro de criterio establecido. Revela las modalidades sensoriales en las que has aprendido a depender y que más disfrutas. Al practicar, puedes mejorar tu habilidad en cualquier modalidad, lo que te ayudará a lograr una modalidad mixta y balanceada de fortalezas sensoriales.

Apéndice D

Formulario para controlar los pensamientos

La mayoría de las personas tienen cinco o seis pensamientos negativos acerca de ellos mismos en los que piensan una y otra vez, a veces sin darse cuenta de ello. Toma algunos minutos para escribir los pensamientos negativos que tengas acerca de ti mismo. Estos frecuentemente incluyen pensamientos acerca de tu apariencia física, tu inteligencia y tu potencial. Escribe pensamientos contrarios en la columna del lado derecho—aquellos que sean más positivos (pero realistas), para que puedas creer en ellos. Cuando notes que estás pensando o diciendo tus pensamientos negativos, puedes cambiar inmediatamente a pensar o decir el pensamiento contrario positivo. No dejes que tus pensamientos negativos tengan la última palabra.

Pensamientos negativos	Pensamientos positivos
Ejemplo A: Estoy tan gordo.	*A. Es verdad que tengo sobrepeso, pero en lugar de atormentarme con ello, voy a aceptarme de la forma en que soy o voy a buscar una manera de estar más en forma.*
Ejemplo B: Nunca podría hacer algo como eso.	*B. No he hecho algo como eso antes. Pero si pongo tiempo y esfuerzo, puedo hacerlo.*

A continuación, escribe tus propios pensamientos negativos y positivos.

1.   1.

2.   2.

3.   3.

4.   4.

Practica pensar o decir tus pensamientos positivos hasta que reemplacen a tus pensamientos negativos, y hasta que se convierta en un hábito.

También, visualiza el momento en que tus pensamientos positivos se conviertan en tu nueva normalidad. Vete a ti mismo feliz y exitoso a medida que avances en tu vida.

Apéndice E

Formulario para establecer metas

Selecciona una meta en la cual trabajarás durante un periodo designado. Asegúrate que sea...

- realista y alcanzable
- específica y mensurable
- controlable

Mi meta es:

Fecha de comienzo:
Fecha de terminación:

Autoevaluación

Cuando llegues a la fecha de terminación, completa las siguientes evaluaciones y evalúa cómo lo hiciste:

1. Coloca una X al lado del porcentaje que mejor representa tu éxito en lograr tu meta.

0%   25%   50%   75%   100%

2. Explica tu puntuación. _____

_____

3. Analiza cómo lo hiciste. Si tuviste dificultad en lograr tu meta, ¿qué es lo que harías diferente la próxima vez? _____

_____

_____

4. Escribe una lección que aprendiste de hacer esta actividad de establecer metas. _____

_____

_____

Apéndice F

Ejercicio de visualización para establecer metas

Visualizar la consecución exitosa de tus metas te ayuda a lograrlas. No te preocupes si, de hecho, no ves u oyes algo cuando haces tus ejercicios de visualización. Puesto que todos experimentamos la visualización guiada en formas diferentes, entiende que lo que sea que experimentes te está ayudando a dar un paso adelante hacia ser exitoso.

Para comenzar, selecciona una meta de acuerdo a las directrices en el capítulo 10. Luego, haz el siguiente ejercicio:

Siéntate cómodamente, respira normalmente y cierra tus ojos.

Imagina que es el momento justo *antes* de que intentes tu meta:

¿Cómo se ve eso? Velo como si estuvieras en tu cuerpo, mirando con tus ojos—no como si te estuvieras observando a ti mismo en un escenario. ¿Cómo suena? Escucha los sonidos de tu medio ambiente. Y oye los sonidos desde tu interior, tal vez una voz dentro de tu cabeza animándote a avanzar. ¿Cómo se siente justo antes de intentar tu meta? Siente las emociones que acompañan a tu experiencia antes de triunfar en tu meta.

Ahora imagina que es *durante* tu intento de completar tu meta:

Estás haciendo las cosas que la hará un éxito completo. Estás dando el 100 por ciento hacia lograr lo que quieres. ¿Cómo se ve eso? ¿Qué oyes mientras logras tu meta? ¿Cuáles son los sonidos a tu alrededor? ¿Cuáles son los sonidos dentro de ti? Quizás oyes una pequeña voz dentro animándote a seguir adelante. ¿Cómo te sientes a medida que completas tu meta? Permítete sentir los buenos sentimientos de hacer lo que quieres hacer.

Y finalmente, imagina que es *después* de que hayas completado tu meta:

Diste tu mejor esfuerzo, y lograste lo que te propusiste hacer. Mira a tu alrededor. ¿Cómo se ve después de lograr tu meta? ¿Cómo suena? ¿Cuáles son los sonidos de tu medio ambiente? ¿Cuáles son los sonidos dentro de ti? Quizás oigas una voz interna felicitándote por tu logro. ¿Cómo se siente después de que completaste tu meta? Permítete a ti mismo experimentar los buenos sentimientos de tu éxito. Sí, mereces experimentar un sentido saludable de orgullo y satisfacción por hacer lo que te propusiste.

Ahora, presta atención a tu respiración. Nota cómo estás sentado. Nota dónde estás sentado. Y cuando estés listo, abre tus ojos y regresa al presente, sintiéndote feliz y relajado.

Después de que completes este ejercicio de visualización, responde estas preguntas:

1. ¿Cómo fue la experiencia?

2. ¿Pudiste ver, oír o sentirte a ti mismo completando la meta?

3. ¿Cómo te sentiste después de haber logrado tu meta?

4. ¿Qué fue la cosa más importante que aprendiste de hacer estas visualizaciones guiadas?

Este ejercicio es una forma poderosa de establecer el escenario para cumplir con las metas que te propongas. Puedes leerlo en voz alta y grabarlo para que tengas tu propia voz guiándote. Una vez que hayas hecho este ejercicio un par de veces, puedes hacerlo tú mismo sin las instrucciones. Todo lo que haces es ver, oír y sentir la terminación exitosa de la meta antes, durante y después de lograrla. Luego, observa cómo tu éxito se revela.

Reconocimientos para esta edición revisada

A veces, la escuela de la vida asigna tareas individuales que uno debe completar solo. Otras veces, las tareas requieren un esfuerzo de grupo. La creación de este libro definitivamente ocurrió a través de un grupo. El Universo reunió muchos recursos a lo largo del camino, y estoy tan agradecida con las siguientes personas que se me unieron en este camino. Les extiendo mi sincero agradecimiento.

Al personal excepcional de Editorial Renuevo por creer en mi libro, por traducirlo y condensarlo a la misma vez que conservaron la esencia y el espíritu de mi mensaje, y por ser tan geniales a la hora de colaborar.

A los estudiantes universitarios con los que tuve el gozo de poder trabajar. Les doy las gracias por haber compartido sus luchas y éxitos con tal valor y sinceridad. Sus esfuerzos fueron una fuente constante de inspiración, y me enseñaron lecciones de vida invaluables.

Al Department of Counselor Education and Rehabilitation en la Universidad Estatal de California en Fresno (CSUF), por aprobarme para enseñar el material como trabajo de curso de graduado, lo que me permitió refinar mis ideas y obtener opiniones cruciales en las trincheras.

A mi editora, Jana Price-Sharps, por revisar mi escritura con la perspectiva experimentada de sus experiencias extensas en enseñanza y terapia individual.

A mi familia, que me dio la fundación para escribir este tipo de libro. Agradezco tanto a mis padres, Sarah y Jim Gannaway, por su amor incondicional, su apoyo en todo lo que alguna vez he querido hacer, y por su ejemplo de cómo llevar una vida llena de fe, propósito, amabilidad y gozo. Aprecio a mi hermana Sharon Gannaway por siempre estar allí y por ayudarme a aprender tanto, y a mi hermana Vivian (VS) Gannaway Walker por escuchar un sinfín de anécdotas de mi escritura y por apoyarme con sus ediciones perfectamente oportunas, su entendimiento, entusiasmo y ánimo.

Notas

Página	Capítulo

Capítulo 1: Las cosas pasan por una razón

17   [1] Mike Morrison y Neal J. Roese, "Regrets of the Typical American: Findings from a Nationally Representative Sample," *Social Psychological and Personality Science 2*, no. 62 (2011): 576–583.

17   [2] Bronnie Ware, *The Top Five Regrets of the Dying* (Carlsbad, California: Hay House, Inc., 2012).

Capítulo 2: Aventuras en la escuela de la vida

25   [3] Emaho Montoya (American Indian, www.emaho.ws), comunicación personal, circa 1990.

27   [4] "Consequences of Insufficient Sleep," Division of Sleep Medicine, Harvard Medical School Online, con acceso el 6 de octubre, 2016, http://healthysleep.med.harvard.edu/healthy/matters/consequences.

27   [5] Centers for Disease Control and Prevention (CDC), "Did You Get Enough Sleep Last Night?," Comunicado de prensa, 16 de febrero, 2016, http://www.cdc.gov/media/releases/2016/p0215-enough-sleep.html.

29   [6] Cherie Carter-Scott, *If Life is a Game, These Are the Rules* (New York: Broadway Books, 1998).

33   [7] Meg Selig, "Older but Happier? 5 Amazing Findings from Recent Research," Psychology Today (blog), 7 de enero, 2015, https://www.psychologytoday.com/blog/changepower/201501/older-happier-5-amazing-findings-recent-research.

36   [8] Barry Stevens, *Don't Push the River: It Flows By Itself* (Berkeley: Celestial Arts, 1970).

38   [9] Diccionario en línea Merriam-Webster, s.v. "intention," con acceso el 22 de septiembre, 2016, http://www.merriam-webster.com/dictionary/intention.

42   ¹⁰ Para mayor información sobre intención, ver: Wayne Dyer, *The Power of Intention: Learning to Co-create Your World Your Way* (Carlsbad, California: Hay House, Inc., 2005).

Capítulo 3: Todo acerca de las lecciones de vida

46   ¹¹Random House Webster's College Dictionary (New York: Random House Inc., 1995), s.v. "lesson."

50   ¹² Los ejemplos iniciales de esta expresión fueron anónimos, pero siempre han sido atribuidos a Robert Service, quien falleció en 1958.

68   ¹³ Bobby McFerrin, vocalista, "Don't Worry Be Happy," by Bobby McFerrin, grabado en 1988, EMI-Manhattan Records.

Capítulo 4: Encontrar tus maestros externos

75   ¹⁴ Diccionario en línea Merriam-Webster, s.v. "coincidence," con acceso el 22 de septiembre, 2016, http://www.merriam-webster.com/dictionary/coincidence.

75   ¹⁵ C.G. Jung, *Structure and Dynamics of the Psyche*, Vol. 8, "Synchronicity: An Acausal Connecting Principle" (Princeton, New Jersey: Princeton University Press, 1972), 417–519.

79   ¹⁶ Carlos Castañeda, *The Teachings of Don Juan: A Yaqui Way of Knowledge* (New York: Ballantine Books, 1968), 19–25.

82   ¹⁷ Jean-Noel Bassior, "Prophecies for a New World: An Interview with James Redfield," Science of Mind Magazine, diciembre 1994, 35–47.

82   ¹⁸ "Get Healthy, Get a Dog: The Health Benefits of Canine Companionship," Harvard Health Publications, con acceso el 18 de septiembre, 2016, http://www.health.harvard.edu/staying-healthy/get-healthy-get-a-dog.

Capítulo 5: Descubrir tus maestros internos

92   ¹⁹ Lynn Luria-Sukenick, "Writing and the Body: A Course in Creative Writing," Universidad de California Extensión, Santa Cruz, marzo 1990.

97 [20] William L. Mikulas, *Taming the Drunken Monkey: The Path to Mindfulness, Meditation, and Increased Concentration* (Woodbury, Minnesota: Llewellyn Publications, 2014), 10.

101 [21] Mihaly Csikszentmihalyi, *Flow: The Psychology of Optimal Experience* (New York: HarperPerennial, 1990).

107 [22] Matthew Hutson, "Beyond Happiness: The Upside of Feeling Down," *Psychology Today*, febrero 2015, 44–53.

107 [23] Ibid., 53.

108 [24] *Alcoholics Anonymous: The Story of How Many Thousands of Men and Women Have Recovered from Alcoholism*, 3ª ed. (New York: Alcoholics Anonymous World Services, Inc., 1983), 64.

114 [25] Diane Fassel, *Working Ourselves to Death: The High Cost of Workaholism and the Rewards of Recovery* (New York: HarperCollins Publishers, 1990), 31.

114 [26] Ibid., 43

116 [27] Anne Wilson Schaef y Diane Fassel, *The Addictive Organization: Why we Overwork, Cover Up, Pick Up the Pieces, Please the Boss, and Perpetuate Sick Organizations* (San Francisco: Harper and Row, 1988), 58.

119 [28] "Common Questions about Dreams: Does Everyone Dream?," The International Association for the Study of Dreams, con acceso el 21 de septiembre del 2016, http://www.asdreams.org/subidxeduq_and_a.htm.

120 [29] "The Facts About Dreams: What Purpose do Dreams Serve?," Real Simple, con acceso el 21 de septiembre, 2016, http://www.realsimple.com/ health/mind-mood/dreams/facts-about-dreams/nightmares-premonitions.

120 [30] "14 Common Dreams and Symbols and Why They're Important," DreamsCloud, actualizado el 18 de diciembre, 2015, http://www.huffingtonpost. com/dreamscloud/meaning-of-dreams_b_4504512.html.

Capítulo 6: La intuición, el maestro supremo

126   [31] Gavin de Becker, *The Gift of Fear: Survival Signals that Protect Us from Violence* (New York: Dell Publishing, 1997).

126   [32] Frances E. Vaughan, *Awakening Intuition* (Garden City, New York: Anchor Books, 1979), 45.

127   [33] Annie Murphy Paul, "The Science of Intuition," *O The Oprah Magazine*, agosto 2011, 125.

127   [34] Philip Goldberg, *The Intuitive Edge: Understanding and Developing Intuition* (Los Angeles: Jeremy P. Tarcher, Inc., 1983), 46.

128   [35] Phil McGraw, Life Code: The New Rules for Winning in the Real World, Running Pr Book Pub, 2014.

128   [36] Philip Goldberg, *The Intuitive Edge: Understanding and Developing Intuition* (Los Angeles: Jeremy P. Tarcher, Inc., 1983)

128   [37] Oprah Winfrey, "What I Know for Sure," *O The Oprah Magazine*, agosto 2011, 162.

129   [38] Frances E. Vaughan, *Awakening Intuition* (Garden City, New York: Anchor Books, 1979), 66–77.

132   [39] Ibid., 44

137   [40] Gary Klein, *The Power of Intuition: How to Use Your Gut Feelings to Make Better Decisions at Work* (New York: Doubleday, 2003).

142   [41] Frances E. Vaughan, *Awakening Intuition* (Garden City, New York: Anchor Books, 1979), 11–32.

Capítulo 7: Una guía práctica del aprendizaje

145   [42] Noel Burch, *Teacher Effectiveness Training (T.E.T.) Instructor Guide* (Solana Beach, California: Gordon Training International, 1975).

149   [43] Joe Henderson, *Did I Win? A Farewell to George Sheehan* (Waco, Texas: WRS Publishing, 1995), xiii.

154   [44] Nancy A. Haynie, "Sensory Modality Checklist," (1981), citado en George M. Gazda, William C. Childers, y Richard P. Walters, *Interpersonal Communication: A Handbook for Health Professionals* (Rockville, Maryland: Aspen Systems Corporation, 1982), 257–259.

156   [45] Carrie Underwood, "One on One," entrevista por Paul McGuire, CMT Canadá, que salió al aire el 14 de junio, 2012.

Capítulo 8: Convertir los obstáculos en maestros

164   [46] Martin E. P. Seligman, *Learned Optimism: How to Change Your Mind and Your Life* (New York: Vintage Books, 2006).

172   [47] Katie Hull-Sypnieski and Larry Ferlazzo, "The Five-by-Five Approach to Differentiation Success," *Education Week Spotlight*, 17 de enero, 2012, 5–6.

176   [48] Jane B. Burka and Lenora M. Yuen, *Procrastination: Why You Do It, What to Do About It NOW* (Cambridge, Massachusetts: Da Capo Press, 2008).

186   [49] Robert Subby, *Lost in the Shuffle: The Co-Dependent Reality* (Pompano Beach, Florida: Health Communications, Inc., 1987), 29–55.

187   [50] Claudia Black, *It Will Never Happen to Me* (Denver: M.A.C., 1981).

188   [51] Albert Ellis y Robert A. Harper, *A Guide to Rational Living* (New York: Albert Ellis Institute, Inc., 1997).

Capítulo 9: Continuar creciendo

198   [52] Dan Goldman, "The Sweet Spot for Achievement," *Psychology Today* (blog), 29 de marzo, 2012, https://www. psychologytoday. com/blog/the-brain-and-emotional-intelligence/201203/the-sweet-spot-achievement.

199   [53] adaptado de Mark A. Staal, "Stress, Cognition, and Human Performance: A Literature Review and Conceptual Framework," NASA Ames Research Center, agosto 2004, http://human-factors. arc.nasa.gov/flightcognition/ Publications/IH_054_Staal.pdf, 4.

204   [54] Joseph Goldberg, "The Effects of Stress on Your Body," WebMD Online, revisado el 12 de junio, 2016, con acceso el 9 de octubre, 2016, http://www. webmd.com/balance/stressmanagement/effects-of-stress-on-your-body.

212   [55] Centers for Disease Control and Prevention (CDC), "Did You Get Enough Sleep Last Night?," comunicado de prensa, 16 de febrero, 2016, http://www.cdc.gov/media/releases/2016/p0215-enough-sleep. html.

212   [56] "Consequences of Insufficient Sleep," Division of Sleep Medicine, Harvard Medical School Online, con acceso el 6 de octubre, 2016, http://healthysleep.med.harvard.edu/healthy/matters/ consequences.

213   [57] Sarah Klein, "6 Convincing Reasons to Take a Nap Today," Huffington Post, actualizado el 11 de agosto, 2014, http://www. huffingtonpost.com/2013/03/11/nap-benefits-national-napping-day_n_2830952.html.

213   [58] Lisa Stein, "Napping May Be Good for Your Heart," *Scientific American*, 12 de febrero, 2007, https://www.scientificamerican. com/article/napping-good-for-heart/Scientific American.

213   [59] Emma Seppala, "20 Scientific Reasons to Start Meditating Today," Psychology Today Online (blog), 11 de septiembre, 2013, https:// www.psychologytoday.com/blog/feeling-it/201309/20-scientific-reasons-start-meditating-today.

213   [60] Kristine Crane, "8 Ways Meditation Can Improve Your Life," Huffington Post Online, actualizado el 19 de septiembre, 2014, http://www.huffingtonpost.com/2014/09/19/meditation-benefits_n_5842870.html.

214   [61] Peter Bregman, "If You're Too Busy to Meditate, Read This," Forbes Online, 13 de octubre, 2012, http://www.forbes.com/sites/peterbregman/2012/10/13/if-youre-too-busy-to-meditate-read-this/#6af0051a4ea5.

Capítulo 10: Hacer lo que viniste a hacer

235   [62] Emily Esfahani Smith, "There's More to Life Than Being Happy,"

The Atlantic Online, 9 de enero, 2013, http://www.theatlantic.com/health/archive/2013/01/theres-more-to-life-than-being-happy/266805/.

235   [63] Patrick Hill y Nicholas Turiano, "Having a Sense of Purpose May Add Years to Your Life," *Psychological Science Online News*, 12 de mayo, 2014, http://www.psychologicalscience.org/index.php/news/releases/having-a-sense-of-purpose-in-life-may-add-years-to-your-life.html.

241   [64] "Number of Jobs Held, Labor Market Activity, and Earnings Growth Among the Youngest Baby Boomers: Results From a Longitudinal Survey," *Online Economic News Release*, Bureau of Labor Statistics, U.S. Department of Labor, 31 de marzo , 2015, http://www.bls.gov/news.release/nlsoy.nr0.htm.

242   [65] Rick Warren, *The Purpose Driven Life: What on Earth Am I Here For?* (Grand Rapids, Michigan: Zondervan, 2002).

243   [66] Si deseas mayor información acerca de este tema, puede que quieras leer a David Howitt's *Heed Your Call: Integrating Myth, Science, Spirituality, and Business* (New York: Atria Books, 2014). Para sugerencias prácticas en cuanto a entretejer ambos en tu vida, puedes echar una mirada al libro de Barbara Sher, *I Could Do Anything If I Only Knew What It Was: How to Discover What You Really Want and How to Get It* (New York: Dell Publishing, 1994).

246   [67] Mark Murphy, *Hard Goals: The Secret to Getting from Where You Are to Where You Want to Be* (New York: McGraw-Hill, 2011).

247   [68] Las siguientes actividades son similares a las del libro de Alan Lakein *How to Get Control of Your Time and Your Life*. Han ayudado a miles de personas a identificar y lograr sus metas. Alan Lakein, *How to Get Control of Your Time and Your Life* (New York: David McKay Co., Inc., 1973), 31–36.

252   [69] Jim Taylor, "Sport Imagery: Athletes' Most Powerful Mental Tool," *Psychology Today Online* (blog), 6 de noviembre, 2012, https://www.psychologytoday.com/blog/the-power-prime/201211/sport-imagery-athletes-most-powerful-mental-tool.

256   [70] Joseph Campbell, *The Hero with a Thousand Faces*, 2nd ed.

(Princeton, New Jersey: Princeton University Press, 1973).

257   [71] Albert Ellis y Kristene A. Doyle, *How to Control Your Anxiety before It Controls You* (New York: Kensington Publishing Corp., 1998), 89, 217.

257   [72] Angela Duckworth, *Grit: The Power of Passion and Perseverance* (New York: Scribner, 2016).

258   [73] Albert Ellis y Kristene A. Doyle, *How to Control Your Anxiety before It Controls You* (New York: Kensington Publishing Corp., 1998), 217–225.

Capítulo 11: Enseñar lo que aprendes

263   [74] Frank C. Laubach, *Letters by a Modern Mystic: Excerpts from Letters Written to His Father* (Colorado Springs: Purposeful Design Publications, 2007).

263   [75] "Each One Teach One," Each One Teach One Organization, con acceso el 24 de septiembre, 2016, http://www.eachoneteachone.org.uk/about/About.

263   [76] "Our History," ProLiteracy Organization, con acceso el 24 de septiembre, 2016, https://proliteracy.org/About-Us/Mission-History.

265   [77] Sharon Wegscheider-Cruse, *Becoming a Sage: Discovering Life's Lessons, One Story at a Time* (Deerfield Beach, Florida: Health Communications, Inc., 2016).

266   [78] Adam Grant, *Give and Take: Why Helping Others Drives Our Success* (New York: Penguin Books, 2013), 155–185.

267   [79] Marianne Williamson, *A Return to Love: Reflections on the Principles of a Course in Miracles* (New York: HarperCollins Publishers, 1992), 165.

270   [80] Janice Stevens, "When Angelou Lit Up the Room," Valley Voices, *Fresno (CA) Bee*, 7 de junio, 2014.

Apéndice A: Lista de palabras emotivas

275 [81] Richard   Niolon,   Ph.D.,   www.psychpage.com.   Usado   con permission.

Apendice C: Lista de palabras emotivas

283 [82] Copyright © 1981 Nancy A. Haynie. Utilizado con su permiso.